$2

# LE VENT REPREND SES TOURS

SYLVIE GERMAIN

# LE VENT REPREND SES TOURS

roman

ALBIN MICHEL

IL A ÉTÉ TIRÉ DE CET OUVRAGE

*Vingt-cinq exemplaires*
*sur vélin bouffant des papeteries Salzer*
*dont quinze exemplaires numérotés de 1 à 15*
*et dix exemplaires, hors commerce, numérotés de I à X*

*À la mémoire d'Alain Goulet, à Inge*

« Allant vers le sud, tournant vers le nord,
tournant, tournant, va le vent,
et le vent reprend ses tours. »

Écclésiaste 1,6


« Se dresser contre ce qui est là et se faire
les gardiens vigilants des vivants et des morts. »

Héraclite

# I

« tu ne viens pas : tu es. loin
est ton chant ici où…

tu ne viens pas. tu es seulement toi
le lointain de toi en toi ; ici
le silence est ton autel… »

Sorin Marculescu

# 1

*6 septembre 2015*

Des paperoles où sont inscrits des propositions de menus services, de vente de matériel ménager, de meubles ou de poussettes, des offres de chatons venant de naître ou des avis de recherche de chats et de chiens égarés frangent le panneau affichant les trajets et les horaires des autobus. Mais ce n'est pas cette dentelle de petites annonces qui retient l'attention du passant planté sous l'abribus. Ce qu'il regarde, légèrement penché en avant, c'est un rectangle de papier collé juste à côté sur la paroi de verre. Il s'agit d'une feuille illustrée de sept photographies de formats assez réduits, toutes de mauvaise qualité ; un collage de portraits photocopiés, déjà passablement fanés, intitulé « Disparus ». Sous chacun figurent quelques indications : prénom et nom de la personne, âge au moment de la disparition et date de celle-ci, détails physiques et vestimentaires. Le portrait d'un petit garçon de trois ans, deux d'adolescents, deux de fillettes de neuf et onze ans, un d'une jeune femme et en dernier celui d'un vieil homme. Bref panorama de rapts et de fugues, éventail distendu des âges et de la vulnérabilité, petit échantillon de la détresse humaine.

L'aïeul de ce septuor de disparus a un visage anguleux, la bouche est contractée sous on ne sait quel effort de pensée ou quel accès de tristesse, les yeux écarquillés ont un regard perdu. Il a une tache foncée à la tempe gauche, ronde comme la prunelle dilatée d'un œil superfétatoire. Si on observe bien ses traits, on devine qu'il a dû avoir belle allure avant l'effroi de la vieillesse. Un texte succinct légende sa photo : *Gavril Krantz, âgé de 80 ans, disparu depuis le 27 février 2015 de l'établissement où il était hospitalisé. Il est de type européen, mesure 1,77 mètre, de corpulence maigre. Signe particulier : une tache noire à une tempe. Le jour de sa disparition il était vêtu d'un pantalon de velours gris, d'un pull beige et d'un caban noir, et était chaussé de pantoufles de feutre à carreaux.* Suivent les coordonnées téléphoniques de l'hôpital et du commissariat où donner tout renseignement utile, et en finale, un remerciement anticipé : *Merci de votre témoignage.*

Végéter dans un hôpital *chaussé de pantoufles de feutre à carreaux*, il y a en effet de quoi déprimer au point de prendre la poudre d'escampette, pense le badaud en scrutant l'affiche. Mais pour aller où ? se demande-t-il en se redressant. Quand on est jeune, on fugue pour quitter sa famille, prendre le large et aller voir ailleurs, découvrir du neuf, mais quand on est vieux, on ne s'enfuit que pour rentrer chez soi, prendre le large à rebours et retrouver ses fantômes familiers. Nathan ne se laisse aller à ces plates considérations que pour tenter de contenir l'émotion qui l'a saisi. Il découpe avec précaution la photo du vieil évadé en charentaises et la glisse dans son portefeuille. Il monte dans le premier bus qui s'arrête, sans regarder son numéro ni sa destination. Peu lui importe, il n'est entré sous l'abribus que pour se protéger de la pluie quand elle s'est mise à tomber, il n'avait l'intention de se rendre nulle part en particulier, il n'est sorti que pour prendre l'air. Debout au milieu du véhicule, il reste un moment l'air songeur, préoccupé même, et soudain, comme si un court-circuit venait de se produire dans son esprit, il éclate de rire. Les passagers se retournent vers lui, surpris, et bientôt perplexes, un brin méfiants ; les individus en proie à de subits éclats d'hilarité solitaire sont vite suspectés d'ébriété ou de dinguerie. Son fou rire se tarit aussi brusquement qu'il a surgi et se retourne en violente envie de pleurer, ou de crier. Rire, cris et sanglots secs lui font l'effet d'une lapidation intérieure. Il les refoule en vrac et fixe son regard sur les façades des maisons qui défilent lentement derrière la vitre. Cette lenteur l'insupporte. À la station suivante, il descend. Il marche sans savoir où il va. Les mots *disparu* et *hospitalisé* lui reviennent en boucle, ponctués par *pantoufles de feutre à carreaux.* Cette ritournelle l'exaspère, il hausse les épaules, secoue la tête pour chasser ces mots aussi déplaisants qu'un essaim de mouches. Il s'arrête par instants, cogne du talon contre l'asphalte comme pour piétiner, écraser ces mots-mouches, puis il repart au pas de charge, toujours sans savoir où il va ni au-devant de quel adversaire il se porte avec tant d'impatience. Il déambule à vive allure, mû par le roulis en lui de deux émotions contraires, de force égale : la joie et la stupeur. Mais ses élans de joie oscillent à leur tour entre deux sentiments en conflit, l'espoir et la crainte. La stupéfaction, elle, est d'un bloc, sans nuances.

Depuis plus d'un quart de siècle il croyait cet homme décédé, on le lui avait annoncé, et de cette mort il ne s'est jamais consolé. Pendant plus d'un quart de siècle il s'est cru responsable de la mort de cet homme, on lui avait dit qu'il l'était, et l'ombre de cette faute n'a cessé de peser sur sa vie. L'ampleur de ce mensonge le consterne, il n'en comprend ni la raison ni la durée. L'espoir que le vieux fugueur ait été retrouvé sain et sauf et qu'il puisse le revoir l'enthousiasme, la possibilité qu'il ait pu succomber lors de sa fuite le panique. Mais il s'accroche avant tout à sa part d'espoir, comme le rescapé d'un naufrage s'agrippe farouchement à une planche, un tronçon de bois. Il entre dans une brasserie, s'installe au fond de la salle face au miroir mural. De là, il aperçoit la porte d'entrée et une partie du comptoir où s'active un serveur en chemise blanche. La glace est éclaboussée de tavelures bistre de tailles diverses, il y en a de petites, isolées, semblables à des insectes, de grosses formant des grappes roussâtres ; le flou qui entoure les reflets confère une étrange élégance au corps du serveur qui virevolte avec rapidité et dextérité entre le percolateur, les tasses et les verres, les bouteilles d'alcool et la machine à bière, et les clients qui entrent ou sortent par la porte tambour. Nathan commande deux bières pression.

– Vous attendez quelqu'un ? demande la serveuse.

– Oui.

Quand elle revient avec son plateau, elle constate que le quelqu'un n'est pas encore arrivé.

17

– Si la personne tarde, sa bière va tiédir, prévient-elle.

– Pas d'importance, je l'attends depuis vingt-sept ans.

– OK, je vois, dit-elle d'un air moqueur en déposant deux sous-bocks en carton tachés devant Nathan, puis les deux chopes.

– Ah oui, vous voyez quoi ?

– Bah, rien, lâche-t-elle en haussant les épaules.

– Moi non plus je ne vois rien, ni chips ni olives ni cacahuètes. En fait, je préférerais des bretzels. Vous en avez ?

Elle s'en va et revient avec un petit bol rempli de pop-corn.

– On n'a que ça, annonce-t-elle en posant la coupe, et elle repart sans attendre son avis.

La texture du pop-corn lui déplaît, il a l'impression de mâchouiller des morceaux de polystyrène, il se contente de lécher le sel qui les saupoudre. Gavril aimait autant le salé que l'amer, et tout ce qui craquait sous les dents. Il détestait les aliments mous, spongieux, et n'appréciait le sucré que saturé, presque violent en bouche. Nathan a fait siens ces goûts-là depuis l'enfance. Il regarde les formes qui évoluent dans la brume rousse du miroir, imaginant la silhouette de Gavril apparaître parmi elles, s'en détacher, s'approcher de la table. Il trinque en silence avec lui. La mousse s'effondre lentement et se dilue dans la chope immobile, alors il se met à boire alternativement dans les deux, et bientôt elles sont vides. Il en commande deux autres. Quand il sort, il fait noir. Il déambule dans les rues jusque tard dans la nuit avant de rejoindre l'hôtel où il a pris une chambre. Il est arrivé en milieu de journée à Paris et doit repartir dès le surlendemain ; il n'aime pas revenir dans cette ville, il évite de s'y attarder, mais là, il est prêt à prolonger son séjour autant que nécessaire. Demain matin de bonne heure il appellera l'hôpital. S'il retrouve Gavril, il le sortira de l'établissement où il est interné, il l'emmènera avec lui. Ils voyageront, ils iront là où le vieil homme en aura envie ; ils parleront, ils se raconteront toutes ces années perdues loin l'un de l'autre et rappelleront à leur mémoire celles du passé. Quatre-vingts ans, ce n'est pas si âgé, se rassure Nathan, l'affiche des « Disparus » ne signale aucune infirmité physique ni déficience mentale particulière. Et si Gavril ne veut pas voyager, ils s'installeront là où il le voudra, et s'il ne veut pas parler, ils garderont le silence. Ou ils joueront de l'un des instruments à souffle, à mots et à rumeurs qu'inventait Gavril – de l'*olifantastique*, du *cor-et-à-cri*, du *picologatome*, de la *trompette-à-rimes*, du *saxhoquet*, du *tuyau-soupir*, de

19

la *flûte-à-couacs* ou du *poèmophone*... À force de passer en revue les noms de ces instruments fantasques et de s'efforcer de les visualiser, Nathan finit par s'endormir. Son sommeil bruit de chuintements et de gazouillis, de bribes de poèmes, de phrases bégayées sur divers tempos, de sifflements et d'onomatopées, et de mots de toutes sortes, hybrides, savants, exotiques, vieillots, loufoques, triviaux, brefs ou longs, mats ou sonores.

# 2

*Été 1980*

Les années s'écoulaient et se ressemblaient toutes. L'été de ses neuf ans s'annonçait pareil aux précédents, une semaine début juillet avec sa mère dans un camping en Dordogne, puis une dizaine de jours chez ses grands-parents maternels en banlieue, et le reste dans l'appartement à Paris, livré à lui-même du matin au soir. Mais quitte à s'ennuyer, il préférait que ce soit seul, dans son univers familier, aussi restreint fût-il, plutôt qu'en la compagnie insipide, sinon déplaisante, des parents de sa mère, laquelle d'ailleurs ne les estimait guère et les fréquentait le moins possible. L'unique séjour qu'il avait fait en colonie à l'âge de sept ans avait été un échec, il avait ensuite refusé de renouveler l'expérience, opposant à sa mère, qui voulait à nouveau l'expédier dans un camp de vacances, une résistance tenace. Il avait l'art de la révolte passive.

Sa force d'inertie était considérable, à la mesure de sa méfiance à l'égard des autres et de sa peur de lui-même. Il lui suffisait bien d'avoir à supporter l'épreuve de la promiscuité tous les autres mois à l'école, et d'y subir chaque jour les railleries de ses camarades. À la moindre contrariété sa voix se troublait, les mots se précipitaient dans sa bouche à une telle vitesse qu'ils se bousculaient, s'entrechoquaient, se faisant de plus en plus incompréhensibles. Ce débit haletant l'épuisait, sa voix s'essoufflait, et bientôt s'amuïssait, il restait bouche entrouverte, les yeux embués, l'air ahuri. On n'entendait plus alors que les sifflements aigus de sa respiration. Certains élèves, que ces crises d'affolement virant à l'hébétude amusaient beaucoup, n'avaient de cesse de chercher à les lui provoquer. Il fuyait donc autant que possible la compagnie de ses congénères. Cette prudence était double, elle le protégeait des autres, trop souvent hostiles, moqueurs, et tout autant elle gardait les autres de lui-même, comme s'il représentait un risque. Il aurait été incapable d'expliquer en quoi consistait ce danger dont il se pensait être porteur, mais ce sentiment le tenaillait sourdement et lui dictait une retenue anxieuse dont l'unique résultat était de le maintenir dans un état de grande solitude.

Pour tromper son ennui, les longues journées d'été, il partait traîner dans le quartier, regardant tout avec curiosité autour de lui – les murs, la couleur des crépis, les dessins au pochoir, les pigeons, les fenêtres, les balcons, les clochards, les panneaux publicitaires, les passants, les vitrines, les chiens en laisse, les poubelles, les terrasses de cafés, les chats errants... Il humait les images, les bruits, avec la même avidité que les odeurs, il exerçait ses sens à l'exploration du *Dehors*. Tout l'étonnait, beaucoup de choses l'attiraient et le rebutaient à la fois. Il louvoyait dans les rues en rasant les murs, soucieux de circuler inaperçu, les yeux aux aguets de tout aspect du visible, de tout imprévu, plaisant ou inquiétant.

C'est ainsi qu'un après-midi de fin juillet il avait remarqué un singulier personnage. Un saltimbanque monté sur des échasses, vêtu d'un costume ample et flottant couleur de craie, masqué d'un loup noir en forme de long bec arqué. L'échassier n'était pas l'unique artiste de rue ce jour-là, d'autres donnaient des spectacles en différents endroits, des mimes, des jongleurs, et même un couple de clowns, mais c'est lui, l'ibis blanc et noir aux bras frangés de plumes en tissu,

qui avait retenu son attention. Il portait en bandoulière une sorte de grand carquois qui contenait divers
instruments à vent. Natan s'était arrêté pour mieux
l'observer. L'ibis avançait en titubant, au diapason
du saxhoquet dont il tirait des sons heurtés, plus
ou moins rapides, tantôt graves tantôt aigus. Puis
l'oiseau ivre avait pilé et s'était redressé, bien campé
sur ses pattes, il avait extrait un autre instrument de
son carquois, un tube en métal à travers lequel il pro-
férait des séquences de syllabes dénuées de sens, scandées de quelques mots existants mais dont la
signification se trouvait ébranlée. « Ga gla gal la pa pal
palanquin lan lin la la lila louf loup-garou ga gou
grou… » Il s'était remis en chemin, à pas fermes et
cadencés. Natan l'avait suivi, toujours en s'appliquant
à ne pas se faire remarquer. Il tendait l'oreille, soucieux de distinguer chaque son émis, de saisir ceux qui
avaient un sens et d'en imaginer un à ceux qui en
étaient dépourvus. L'échassier avait fini par repérer ce
gamin qui le filait avec une discrétion maladroite, et,
changeant une fois encore de cylindre acoustique, il
s'était vivement retourné et lui avait braqué contre
l'oreille un tuyau en plastique dans lequel il avait murmuré un salmigondis de vers de Queneau, de
Rimbaud, de Ronsard, tripatouillés par ses soins.

– Si tu t'imagines garçon garçonnet si tu t'imagines

xa va xa va xa va durer toujours la saison des zon la saison des zon Saisons et châteaux ce que tu te goures garçon garsongeur Les beaux jours viendront les beaux jours chanteront glaçon garsonneur Vis donc n'attends pas demain croque dès aujourd'hui les roses de la vie Garçon glockenspiel garçon quille éclate Soleils et planètes te feront la fête...

Natan avait écouté en retenant son souffle, étourdi par cette giboulée de mots prononcés avec un drôle d'accent, à la fois doux et rocailleux. Puis il avait saisi l'extrémité du poèmophone et à son tour y avait murmuré quelques paroles.

– Merci, monsieur Oiseau Zon !

Et il s'était sauvé en courant, surpris autant par sa propre audace que d'avoir parlé sans défaut. Des petits soleils lui tournaient la tête.

Les jours suivants, il avait cherché l'échassier dans le quartier, en vain. Deux semaines plus tard, il l'avait revu, sa haute silhouette se dandinait sur une place devant la terrasse d'un café ; il jouait de l'*olifantastique* dont le son évoquait le ululement du hibou aussi bien que le chant plaintif d'une baleine. Natan s'était empressé de le rejoindre, mais arrivé à sa hauteur, il s'était posté en retrait. Les gens écoutaient l'homme oiseau-baleine d'une oreille distraite, ils parlaient entre eux, riaient, buvaient et fumaient. L'enfant, lui, était captivé par cette étrange mélodie, il n'avait jamais rien entendu de semblable, et une fois encore des bulles de soleil s'étaient mises à flotter dans sa tête, lui donnant le tournis. Quand l'échassier avait cessé de musiquer, il avait bondi hors du coin où il se tenait et avait crié :

– Non, encore !

L'autre avait considéré un instant ce gamin planté là bras ballants, l'air naïf et suppliant ; il l'avait reconnu.

– Tiens, te revoilà, toi !

Puis il avait ajouté en lui tendant son instrument :

– Aide-moi plutôt, prends ça, j'ai mal au dos.

Une fois descendu de ses échasses, il avait ôté son masque. Son nez était long et busqué, Natan avait trouvé que même au naturel il évoquait un bec d'oiseau. Une large tache brune ombrait sa tempe gauche. Mais ce qui l'avait impressionné, c'était la couleur de ses yeux et leur forte brillance, bronze doré, presque orangé, pareils à ces pièces de monnaie qui luisent dans les fontaines où on les a jetées en formulant un vœu. Il avait vu ça dans un livre, à l'école ; l'image lui était revenue soudain, entraînant aussitôt une question absurde : pouvait-on jeter la monnaie de ses rêves et de ses désirs dans les yeux de cet homme ? Il lui avait paru vieux, avec ses cheveux grisonnants, sa peau striée de rides, ses joues creuses mal rasées ; très vieux, très bizarre, et très beau.

L'homme n'était pas du tout un vieillard, il avait quarante-cinq ans, mais son visage aux traits accusés, marqué de lignes et d'éphélides, semblait imprimé de signes obscurs très anciens. Natan découvrait qu'un visage peut ressembler à un livre, ou du moins à une page froissée sous l'afflux de mots mouvants, de paroles entrechoquées, de ratures et de taches, de chiffres diffus, de gribouillis et de gommages. Une page d'écriture lente, à la fois tremblée, incisive et pâteuse, et qu'un rien – un cillement, un sourire, un bâillement, un tic passager, un changement du regard, une moue, un pâlissement, une rougeur ou un rembrunissement – suffisait à désordonner, à recomposer. Et c'est cela qu'il trouvait beau, sans pouvoir se l'expliquer.

– Mais qu'est-ce que tu as à me fixer comme ça ? avait fini par demander l'homme agacé de se sentir dévisagé avec tant d'insistance.

– Je sais pas…, avait bredouillé l'enfant soudain effarouché par le sans-gêne dont il venait de faire preuve, et une fois encore ses yeux s'étaient embués.

Il avait reculé, prêt à se carapater, mais il avait buté contre le carquois posé au sol et était tombé sur les fesses. L'autre l'avait aidé à se relever et avait dit en riant :

– Y en a qui ont les yeux plus grands que le ventre, toi tu les as plus grands que les pieds.

Ce gamin empoté qui avait la témérité dérisoire des timides l'avait amusé, ému peut-être, et il l'avait invité à prendre une boisson à la terrasse d'un des cafés de la place.

Leur amitié s'était nouée là, devant une bière et un Coca, au soleil d'un après-midi d'août. Une amitié hors d'âge, hors normes, ainsi que l'était l'échassier aux yeux roux. Quand Natan avait dit comment il s'appelait, l'autre avait répété ce prénom en hochant la tête avant d'ajouter :

– Et moi je m'appelle Gavril. Tu portes un nom de prophète, et moi d'archange. Pas mal, non ?

Natan n'avait su que hausser légèrement les épaules en signe de perplexité, faute de comprendre le mot « prophète », comme d'ailleurs plusieurs autres expressions employées par Gavril, d'autant plus que sa voix était grave, roulait fortement les *r*, et qu'il modulait ses phrases tout autrement que la plupart des gens. Mais cette voix lui plaisait, elle était à la fois forte et mélodieuse et procurait une impression de chaleur, d'enveloppement apaisant. Natan avait osé avouer qu'il n'aimait pas son propre prénom car, de même que son patronyme et sa date de naissance, on pouvait le lire de gauche à droite ou inversement sans que cela change quoi que ce soit, son et sens restaient identiques, et cette réversibilité lui faisait l'effet d'un enfermement. En guise de commentaire, Gavril avait proféré une phrase sans queue ni tête :

— Hé, père Ubu, il faut pas vivre sans radar sur son erre ni ressasser des sagas sans rotor ou retâter ici le même gag, non non, mieux vaut se lever tôt sur un air pop et rêver de faire du kayak en été à Kodok coiffé d'un bob et plein de pep, un ara sur l'épaule qui crie tut-tut…

Ce bonhomme est vraiment toqué, avait pensé l'enfant.

— Je viens de te donner des exemples de palindromes, avait précisé l'autre.

Encore un mot inconnu dont Natan avait demandé l'explication. Puis Gavril lui avait fait remarquer que Nathan comporte un *h*, certes muet en français, mais qui, si on l'expire en le détachant du *t*, insuffle un peu d'air et introduit ainsi un léger changement de son, bien suffisant pour qu'on ne se sente pas emprisonné dans son prénom. Nat-*h*an, Na*h*-tan. Le problème, avait dit l'enfant, c'est que son prénom était orthographié sans *h*, partout, sur sa carte d'identité, à l'école, il ne comptait que cinq lettres.

– À toi de rétablir la lettre manquante, et fais-la souffler, tu respireras mieux, avait suggéré Gavril.

De ce jour il avait corrigé la graphie de son prénom, et tant pis si la rectification ne figurait pas sur son état civil, cette discrète consonne glissée en lui était une fenêtre qu'il ouvrait dans sa vie, ou plutôt sur la vie.

# 3

## *Les années Gavril*

Il y a des années belles comme on le dit d'échappées, au double sens d'être sauvé de justesse d'un danger, une chute, une agression, et de trouée de lumière dans un ciel ennuagé. Les années Gavril furent pour Nathan autant d'échappées à l'ennui, à la routine, et surtout à la solitude et à l'inquiétude. Leurs rencontres n'étaient pas régulières, et parfois s'espaçaient, mais elles lui apportaient tant de bonheur qu'elles tenaient une place éminente dans son existence. Elles nourrissaient son imaginaire, dynamisaient ses pensées, ses rêves, et du coup lui donnaient un peu de confiance en lui, et d'entrain, ce dont il était très démuni. Son naturel maladroit, qui lui déclenchait souvent des réactions agacées voire de vifs reproches dans sa famille et à l'école ou des rires moqueurs de la part des autres élèves, ne provoquait rien de tel chez Gavril. Lui, ça le faisait sourire, et surtout il savait désamorcer la confusion qui s'emparait brutalement de l'empoté et l'empourprait jusqu'au front, en réduisant aussitôt l'incident à une broutille, ou en le commentant d'une façon drolatique dénuée de tout sarcasme. Parfois, dans les premiers temps de leurs rencontres, quand Nathan se montrait trop mortifié après avoir dit ou fait une bêtise, Gavril le secouait doucement par l'épaule et l'appelait d'un surnom dont à présent il ne se souvient plus exactement, quelque chose comme Bobik, Papik, Babek ou Bojik... Mais peut-être n'était-ce pas un nom, juste un mot d'apaisement. Et, en effet, il se calmait, puisque personne ne le jugeait, ne le ridiculisait.

Sa mère avait remarqué qu'un changement était survenu chez son fils, il se montrait moins taciturne et timoré, ses difficultés d'élocution s'étaient atténuées, il lui arrivait même de se lancer dans des propos assez longs et parfois surprenants de par l'emploi qu'il faisait de mots rares ou de formules bizarres. Il testait auprès d'elle, et également dans ses devoirs d'école – ce qui lui valait quelques ratures ou remarques amusées en marge de ses rédactions, mais aussi une nette remontée de ses notes –, le vocabulaire et les tournures de phrases qu'il recueillait de la bouche de Gavril. « En voilà une drôle d'expression, s'étonnait sa mère, d'où tiens-tu ça ? » Il se gardait de dire d'où lui venaient cette inspiration et l'énergie qui soudain l'animait, il ne lui avait pas parlé de sa rencontre avec Gavril. Ni à elle ni à personne. Longtemps il avait tenu secrète son amitié avec cet homme fantasque, joueur de sons et de mots comme d'autres le sont de dés, de ping-pong ou de théorbe. Un homme tout en contrastes, grand raconteur d'histoires mais très discret quant à la sienne propre, plein de douceur mais pouvant se comporter subitement de façon bourrue, souvent fauché mais toujours libéral, doué d'un humour allant du délicat au cinglant, et d'un sens de l'absurde si aigu qu'il s'imposait sagesse. Nathan n'aurait su le définir précisément, il ignorait trop d'éléments de son passé et tout autant de son présent, il ne savait même pas où il habitait, si même il disposait d'un lieu fixe, il se contentait des rares informations que Gavril lâchait de-ci de-là. Peut-être cet homme qui lui était apparu la première fois sous l'aspect d'un grand ibis aux vocalises désarticulées et aux chants envoûtants dans leurs dissonances était-il une chimère, mi-humain mi-oiseau, un mage saltimbanque, un ange braque ou un bandit bienveillant. Qu'importaient son caractère énigmatique, ses zones d'ombre et ses sautes d'humeur, il était drôle et plein de verve, toujours surprenant, unique. Qu'une telle chimère existât et fût entrée dans sa vie lui suffisait. Qui sait ce qu'il adviendrait s'il en parlait à d'autres ? On risquerait de lui interdire de le fréquenter, de chasser ce vagabond, ou même de l'enfermer.

Gavril était un grand marcheur, et lecteur. Il déambulait dans la ville comme dans un livre, il la feuilletait dans tous les sens. Il considérait en effet les villes à l'égal de livres débrochés, aux pages éparses mais gravitant autour d'un axe invisible lentement dessiné par l'Histoire au fil des siècles. Certaines pages étaient sans intérêt, car non ou mal écrites, d'autres bruissaient de mémoire. Il disait qu'une ville, ça s'arpente et ça se lit, que marcher c'est lire, avec tout son corps, tous ses sens, et que lire c'est marcher, dans sa tête, dans le temps, jusqu'aux confins de soi, jusqu'aux lisières du monde. Leurs balades étaient scandées de fréquents arrêts, l'attention de Gavril étant toujours à l'affût de ce qu'il qualifiait de *mémentos* et de *stigmates*. Les premiers désignaient les plaques apposées sur des façades d'immeubles, indiquant que « dans cette maison », telle ou telle personnalité des lettres, des arts, de la politique ou de la science était née, avait vécu et œuvré tant d'années, parfois jusqu'à sa mort.

Gavril faisait de longues pauses dans les lieux où le nom de certains poètes était mentionné, et il ne se contentait pas alors de parler de la vie et de l'œuvre de l'auteur, il en déclamait aussi des vers. Sa mémoire semblait sans limite, Nathan en était chaque fois ébahi. Les noms de Verlaine, Prévert, Mallarmé, Louise Labé, Rimbaud, Boris Vian, Nerval, Saint-John Perse, Éluard, Hugo, Villon, Baudelaire et de bien d'autres lui devinrent ainsi familiers, non sans une certaine confusion chronologique et quelques embrouillaminis dans l'attribution des fragments de poèmes qu'il retenait.

Gavril s'attardait également devant les plaques en l'honneur d'artistes, de penseurs, de savants ou de personnages historiques qui lui inspiraient un intérêt particulier. Il se lançait à leur propos dans des exposés quelque peu hétéroclites, mêlant en vrac repères biographiques, citations, anecdotes, et de nombreuses digressions. Ainsi quai Voltaire, Vivant Denon, « premier directeur du Louvre » ; de là il dérivait sur la campagne d'Égypte, les pyramides, la civilisation pharaonique, la vanité des empires. Ou, rue Thérèse, l'abbé de L'Épée, « premier fondateur de l'établissement des sourds-muets, placé au rang de ceux des citoyens qui ont le mieux mérité de l'humanité et de la patrie » ; de là il extrapolait sur la langue des signes, puis sur les diverses langues, leurs richesses et leurs limites, le génie propre à chacune, jusqu'à leur confusion babelesque. Ou encore, rue Saint-Honoré, Madame Geoffrin, papesse d'un célèbre salon littéraire « qui fut appelé le royaume de la rue Saint-Honoré » où elle recevait le gratin littéraire, scientifique et philosophique de son temps ; de là il glissait vers les encyclopédistes, puis bifurquait vers Julie de Lespinasse, autre éminente salonnière et grande épistolière qu'il semblait tenir en estime affectueuse. De la sympathie, il en éprouvait autant pour des vivants que pour des morts, il avait des amis dispersés dans tous les continents et tous les siècles. Boulevard Saint-Martin, il s'était fait dithyrambique devant la mention de Georges Méliès, « créateur du spectacle cinématographique, prestidigitateur, inventeur de nombreuses illusions ». Chaque mot de l'inscription le mettait en joie : spectacle, cinématographie, prestidigitateur, inventeur, illusions. C'étaient de tels hommes, de telles femmes qui lui plaisaient, des gens qui avaient su, chacun à sa façon, étreindre la vie, quitte à s'écorcher parfois jusqu'au sang, aux larmes, sur sa rugosité, mais sans renoncer à en extraire de la saveur.

– Jouer, faire se mouvoir les choses, bouger le monde, remuer le temps, concevoir du nouveau, jongler avec les mots, les idées, les images et les sons, voilà ce qui importe ! s'exclamait-il. Tout le reste est vanité.

Nathan apprit bien davantage au cours de ces chasses aux *mémentos* où Gavril «prenait au mot» les rues que pendant les leçons de français et d'histoire à l'école. Mais c'était un savoir en fragments, à la fois riche et lacunaire, comme un puzzle en train de s'ébaucher, composé de quelques beaux éléments colorés et de beaucoup de trous.

Autant les *mémentos* provoquaient chez Gavril des élans de volubilité où s'entremêlaient lyrisme, accents de mélancolie et éclats de loufoquerie, données historiques précises et historiettes plus ou moins vraisemblables, autant les *stigmates* le rendaient taciturne. Il appelait ainsi les monuments et les inscriptions, celles-ci souvent appliquées sur les façades d'immeubles à hauteur d'homme, destinés à perpétuer le souvenir d'événements tragiques, bombardements, assassinats d'opposants, exécutions de résistants, arrestations et déportations de personnes, enfants compris, coupables d'être juives, comme d'autres le sont d'être tsiganes, ou de telle ethnie, telle religion, attentats, mitraillages... Le glossaire de la haine et des crimes est dense et étendu, les irruptions de la mort sont variées, le résultat toujours le même, un gâchis effarant, concluait Gavril. Il ne commentait pas, ou à peine, ces rappels du malheur, il les signalait sobrement, avec dureté presque, comme s'il répugnait à entrer dans les détails, à risquer la moindre complaisance dans l'évocation de l'horreur, ou à laisser fléchir sa révolte et sa désolation par quelque apitoiement. Aucune parole n'était pour lui à la mesure de ce qui était advenu en cet endroit, un jour de barbarie jouissant d'impunité, aucun récit ne pouvait atteindre un degré de justesse suffisant pour dire vraiment ce qui s'était passé *là* – là, en ce point minuscule de la planète et en tel instant insignifiant du temps, là à jamais sur la peau déchirée du monde, dans la chair entaillée du temps ; là et ailleurs et avant et autour et ensuite, car le mal ne surgit jamais de nulle part, il s'ourdit dans la fange de telle ou telle nébuleuse mentale en sournoise expansion. Un jour où Nathan l'avait tout de même interrogé, face à une plaque où figurait le nom d'Auschwitz qu'il avait déjà lu plusieurs fois, Gavril lui avait donné quelques explications, puis après un bref silence il avait ajouté :

– C'est un des noms de l'impardonnable, et de l'inconsolable.

Cela était demeuré assez obscur pour l'enfant, mais au fond de cette obscurité luisait malgré tout une pointe de sens, aiguë, acide, qui le troublait.

Il arrivait parfois qu'une plaque fantaisiste posée contre un mur annonçât sur un ton très sérieux qu'ici, dans cette maison ou dans cette rue, tel jour de telle année, il ne s'était rien passé du tout. « Passant, recueille-toi ! En cet endroit aucun événement n'a eu lieu. » Des mémoriaux de rien, gaiement irrévérencieux, des salutations à la banalité. Ceux-là étaient leurs préférés, mais ils étaient rares, et disparaissaient vite des lieux où les blagueurs les avaient exhibés. Il y avait également les épigraphes sauvages, les graffiti, les dessins au pochoir, les tags, les mots jetés à la volée, en noir et blanc ou en couleur, sur les façades, les portes, à l'occasion sur les trottoirs. Gavril notait dans un carnet les inscriptions qui lui plaisaient, amusantes ou violentes, grossières ou poétiques, ce qui comptait c'était l'écho qu'elles déclenchaient en lui, aussi infime et déformé fût-il. À partir de diverses citations murales qu'il avait glanées, il composait de nouvelles phrases, plus ou moins saugrenues, qu'il murmurait ensuite aux oreilles des gens à l'aide d'un de ses instruments à sons, à souffle et à chuintements. Tout se récupère, tout se recycle, répétait-il à Nathan. Surtout les mots, les idées, les rêves. On peut faire du grand avec trois fois rien, du beau en transformant du moche, du risible à partir de fadaises sentencieuses. Et réciproquement. On peut faire se lever une tempête à partir d'un soupir, comme d'un fracas s'échapper un frêle tintinnabulement, d'un bang et vroum un doux frou-frou. Et vice versa.

Au fil des années, Nathan avait fini par apprendre quelques éléments de la vie de Gavril, mais sans en connaître les détails – sa petite enfance en liberté, l'arrêt brutal de l'enfance et du bonheur, la dislocation familiale, les non-retrouvailles, l'ombre pesante et rêche, néanmoins protectrice, de son aïeul paternel, les convulsions et le démembrement de son pays, le passage d'un régime de violence à un autre, la prison, la figure lumineuse de certains de ses codétenus, l'exil. La chance passant à l'improviste dans la grisaille du malheur, son habileté à survivre, son entêtement à vivre haut et fort, c'est-à-dire en liberté, quel que soit le prix à payer. Ce prix avait beau varier, il était toujours élevé : le bagne, l'exil, la précarité, souvent la dèche. Un jour Nathan l'avait interrogé sur son pays d'origine. Gavril avait juste répondu qu'il était d'une grande beauté ; oui, avait-il insisté, d'une formidable beauté – paysages, villages, églises en bois et monastères, montagnes et rivières, et les forêts à perte de vue, à perte de mémoire tant elles sont anciennes, sauvages. Alors pourquoi l'avoir quitté, s'était étonné l'enfant. Parce que des tyrans, l'un chassant l'autre, chacun reprenant goulûment le flambeau, avaient mis cette beauté sous séquestre.

La biographie de Gavril était pareille au savoir qu'il dispensait par bribes et par à-coups : des fragments lancés souvent à l'improviste, sans ordre chronologique, et les plus brûlants n'étant jamais expliqués. Ils n'en étaient que plus intriguants, et inquiétants. Là encore, le puzzle était jonché de trous, dont certains étaient noirs comme des plaies. Mais avec la rancœur, le chagrin, la douleur, qu'est-il possible de faire, avait fini par demander Nathan, sensible aux drames, aux deuils qu'il devinait enfouis dans ces creux de silence, peut-on aussi les renverser, les recycler, et si oui, en quoi ? Cette question avait surpris Gavril, précisément parce qu'il se la posait depuis des décennies, ou plutôt qu'elle se posait à lui de façon confuse et lancinante. Qu'elle lui soit adressée de l'extérieur, par un adolescent poussé dans un milieu et en un temps si différents des siens, l'avait mis dans l'embarras. Que lui répondre qu'il puisse comprendre ? Et déjà, tout simplement, dire quoi ? Que faire de la haine que d'autres vous ont vouée, sans raison ni mesure, avec acharnement – de la haine en retour, d'autant plus obsédante qu'elle se sait impuissante, juste bonne à vous ronger vous-même ? Que faire d'un chagrin qui vous colle à la peau, infusé dans le sang comme une

41

fièvre larvée qu'un rien suffit à raviver – céder à son pouvoir d'usure et d'abattement, ne plus entendre que son ressassement, devenir sourd à la vie ? Que faire de la violence que l'on a subie – en user à son tour, physiquement, verbalement ? Il connaissait ces envies, il les avait fortement ressenties, avait long-temps lutté contre elles, et, malgré son ardeur à vivre et les puissants élans de joie qu'il lui arrivait d'éprou-ver, il savait bien qu'elles se tenaient tapies dans un recoin de son esprit, prêtes à revenir le défier, le séduire, l'égarer. Il avait donné une réponse laco-nique, disant qu'au mieux, on peut essayer d'épuiser ces passions mortifères à force d'endurance, enfin, tâcher d'en limiter la nuisance en opposant une fin de non-recevoir à la tentation de la vengeance, de la vio-lence, et aussi, pourquoi pas, en ayant recours à des ruses. Car on peut ruser avec soi-même, non pas pour se mentir, ni abuser sa conscience, frauder ses senti-ments, mais pour se libérer des fureurs et des ressen-timents qui nous rancissent l'âme et nous suffoquent à petit feu. Manœuvrer ses pensées en finesse pour prendre le large, tenir à distance croissante le mal subi et ceux qui l'ont infligé, jusqu'à les perdre de vue. Les quelques exemples de stratagème libéra-teur qu'il avait alors donnés avaient laissé Nathan perplexe, car ils lui avaient semblé quelque peu absurdes ; ainsi l'idée de répéter en boucle une phrase insignifiante, réduite parfois à quelques mots, et de la répéter à voix haute, forte et même tonnante au besoin, pour couvrir le sifflement de rage qui jaillissait parfois en lui tel du gaz s'échappant d'une fissure, ou celle d'entonner une berceuse de son enfance chaque fois qu'un accès de chagrin se saisissait trop brutalement de lui, ou encore celle d'envoyer des cartes postales artistiques à une personne qui lui avait particulièrement nui ; des reproductions de tableaux de paysages, marins ou de neige le plus souvent, pour dissoudre ses élans de colère et d'aigreur dans ces étendues d'eau, de blancheur, et dans les grands ciels nuageux les surplombant. Pour, simplement, répondre à la laideur de la méchanceté et du malheur par un geste de beauté. Il n'écrivait rien au dos de ces cartes, juste le nom et l'adresse du destinataire en petites lettres capitales alignées de façon impersonnelle, seule comptait l'image porteuse d'espace, de vide étincelant. Libre au destinataire d'écrire un texte à sa guise, ou rien du tout, de conserver ou de déchirer la carte.

Était-ce à l'autre, son tourmenteur, qu'il avait envoyé ces cartes, ou à lui-même à travers ce destinataire, il ne savait pas trop et ne s'en souciait pas, ce qui importait était le soulagement qu'il avait fini par ressentir, comme s'il s'était délesté feuille à feuille du poids qui l'encombrait.

Gavril vivait de petits boulots, qu'il qualifiait de *minables et grandioses*. Il donnait des spectacles de rue à la belle saison, certains soirs il se faisait plongeur dans un restaurant, certaines nuits veilleur dans un hôtel. Il lui arrivait aussi de distribuer des prospectus publicitaires sur les trottoirs, de se faire homme de ménage ou laveur de carreaux, de garder et de sortir des chiens dont les maîtres n'avaient pas le temps de s'occuper, ou encore il allait chiner dans des brocantes aussi bien que dans des poubelles pour le compte d'amateurs de trouvailles. Dépourvu de tout diplôme et nullement désireux d'en acquérir, incapable de se fixer dans un travail, il excellait dans l'inventivité, la diversité et la souplesse. Il ne méprisait aucun emploi, assumait correctement chacun de ceux qu'il trouvait, en changeait sans état d'âme. Il gagnait ce qui lui était nécessaire pour assurer sa survie, son indépendance, et organiser de temps en temps une fête à laquelle il conviait ses amis, un banquet de vins, de chants et de déclamations, de danses et de jeux, à la durée indéfinie et où tout imprévu, toute fantaisie étaient les bienvenus. Il qualifiait ces soirées de « coups de paradis », car, disait-il, dans un festin le partage est roi, chacun se réjouit de la joie des autres, et plus on est nombreux, plus s'accroît l'allégresse. On ne compte ni ne calcule rien, on ne s'épie pas mutuellement, on ne se jalouse pas, on est désencombré de soi, on s'égaie d'être là, ensemble tout simplement, on savoure le présent, on exulte de se sentir vivant. Nathan aurait aimé participer à l'une de ces fêtes, mais Gavril différait ce moment, il ne voulait pas le mêler trop tôt à ces « coups de paradis » que sa famille, si elle en avait pris connaissance, aurait risqué de taxer de beuveries, voire de suspecter de débauche. Or ces fêtes n'avaient rien de tel, leur charme tenait à la spontanéité qui y régnait, à une forme d'innocence joyeuse. Gavril ignorait presque tout de cette famille, le garçon n'en parlait que rarement, avec gêne, tout ce qu'il en savait est qu'elle était réduite à très peu de membres, et il la devinait morose, renfermée dans sa coque étriquée. Il se méfiait de tout ce qui sentait le confiné. Tout entre-soi, qu'il ne soit que grincheux, craintif et défensif ou plein d'orgueil et d'agressivité, finissait toujours par générer de la violence, larvée ou résolument meurtrière. Du plus loin qu'il flairait des relents de tribalisme, qu'il soit familial, politique, social, culturel, religieux, il prenait le large. Quand Nathan serait affranchi de la fade tutelle de sa famille à sa majorité, il pourrait agir à sa guise.

# 4

*7 septembre 2015*

Il se réveille tôt mais reste dans le lit, les yeux tournés vers le plafond strié de rais de lumière qui filtrent à travers les rideaux. Il contemple ces lueurs qui tremblent comme de fines algues blondes, il les observe avec attention, s'applique même à essayer de les compter. Elles sont aussi incomptables que les battements d'un pouls à la fois lent et agité. Il a la sensation d'être allongé au fond d'un aquarium ; là-haut, à la surface, ondoient des filaments de soleil. Mais il n'y a pas d'eau, son aquarium est sec, les algues flottent à fleur de rien. Le temps est en suspens dans ce vide. Quand la clarté du jour emplit la chambre, il se décide enfin à se lever. Il s'attarde dans la salle de bain, puis à s'habiller, après quoi il se poste à la fenêtre qu'il ouvre en grand, il respire l'air du matin. Une odeur d'asphalte mouillé et de feuillages humides, il a plu pendant la nuit, mêlée à celle de gaz de voitures, de relents de poubelles, et, se détachant de ces émanations de la rue, un arôme de café qui monte du bar situé juste en dessous. Il ressent une forte envie de boire un café noir, bien chaud, sucré, accompagné d'une brioche ou d'un pain aux raisins. Mais au moment de prendre la clef de sa chambre avant de sortir, il renonce. Sur la table, à côté de la clef posée sur son portable, se trouve le morceau de papier qu'il a découpé la veille dans l'affiche des disparitions. Gavril au regard perdu, le résumé de sa description, les pantoufles à carreaux, les deux numéros de téléphone. À quoi rime cette idiotie de différer sans cesse l'appel qui l'obsède depuis des heures ? Sa main reste suspendue au-dessus de la clef, puis retombe, inerte, sur la table. Il regarde sa main comme si elle lui était étrangère ; un oiseau mort qui gît entre la clef et le bout de papier. Chambre numéro 15, la coque bleu acier du téléphone, la nuit obscure des yeux de Gavril, sa bouche crispée sur cette nuit – à force de fixer ces objets, cette image, les yeux lui piquent. Il se ressaisit, il prend l'appareil, compose le numéro de l'hôpital. Il tombe sur un répondeur qui indique divers chiffres à taper selon le service que l'on veut contacter, mais aucun ne correspond à sa requête. Il raccroche et se résout à en passer par le commissariat. Là, on l'oriente vers un autre centre téléphonique. Il finit par obtenir quelqu'un à qui adresser sa question – le vieil homme nommé Gavril Krantz, disparu depuis le 27 février 2015, a-t-il été retrouvé ? Il décline sa propre identité, s'invente un lien de parenté avec Gavril dont il se dit le neveu pour mieux justifier sa démarche. Son interlocuteur lui demande de patienter le temps qu'il réponde à d'autres appels puis qu'il lance sa recherche dans son fichier informatisé. Ce temps lui semble interminable, le bruit sourd et heurté de son cœur se confond avec celui de la bande-son un peu mièvre censée agrémenter l'attente, et qu'entrecoupe une voix robotisée qui serine de ne pas quitter, un agent va donner suite. Ne pas quitter, non, ne pas quitter, se répète Nathan en écho assourdi tout en faisant les cent pas dans la chambre. Il se fige à l'instant où son interlocuteur se remet en communication avec lui. L'employé annonce avoir retrouvé la trace de son oncle, disparu en effet le 27 février dernier de l'hôpital où il avait été admis en unité de moyen séjour. Il serait mort dans les jours suivant sa fugue. Il ne sait rien d'autre, il ne peut que lui suggérer de se rendre à l'hôpital dans le service où son oncle était soigné, des membres du personnel auront peut-être plus d'informations à lui donner. Nathan laisse longtemps son téléphone collé à son

oreille après que l'autre a raccroché, il écoute le gré-
sillement de l'appareil qui n'est plus relié à rien. Ne
pas quitter, ne pas quitter, ressasse-t-il intérieurement.
Il faut du temps à la nouvelle qui vient de lui être
assénée pour qu'elle se fraie un chemin jusqu'à son
entendement. Il ne sait plus s'il est en état de rêve ou
de veille, de berlue ou de lucidité.

Il reprend ses esprits et suit le conseil de l'agent du
département des recherches, il va à l'hôpital. Mais
si sa raison a fini par intégrer la nouvelle du décès de
Gavril, sa sensitivité s'y refuse encore, quelque chose
en lui résiste, refuse de croire vraiment à cet iné-
luctable. Après un long parcours dans les dédales de
l'hôpital, son renvoi d'un service dans un autre où à
chaque fois il lui faut à nouveau exposer sa démarche
– obtenir des renseignements sur les derniers jours
que Gavril Krantz a passés dans l'établissement, et si
possible sur les circonstances de sa mort puis sur le
lieu où il a été enterré –, il débouche enfin dans le bon
bureau. Une secrétaire prend le temps de chercher
dans un registre, elle retrouve le nom du patient, la
cause de son hospitalisation – une dénutrition grave et
une insuffisance respiratoire –, la date de son admis-
sion, celle de son évasion environ trois semaines plus
tard, l'avis tardif du décès. Elle referme le registre,

désolée de ne pouvoir lui offrir que ce résumé très succinct, elle ne dispose d'aucun autre élément. Mais, dit-elle après un moment de réflexion, touchée par l'expression de désarroi de ce visiteur en quête de son oncle, il y a une piste possible pour tenter d'en apprendre davantage, celle des infirmières et des aides-soignantes du service où était le vieil homme ; sur le lot, il se trouvera peut-être quelqu'un qui se souvient de lui. Elle va poser la question aux personnes susceptibles de savoir quelque chose, qu'il reprenne contact avec elle dans une semaine. Au cas où elle découvrirait plus rapidement vers qui l'orienter, il lui donne son numéro de téléphone.

Cette initiative se révèle efficace, la secrétaire l'appelle dans l'après-midi pour lui indiquer le nom d'une assistante sociale censée pouvoir l'instruire un peu sur les derniers jours de son oncle. Nathan est prêt à la rencontrer dès que possible, aujourd'hui même, mais son empressement est aussitôt refroidi par la secrétaire qui lui précise que Mme Gwezhennec-Yazarov est actuellement en congé et ne rentrera que dans dix jours. Il se fait épeler le nom, qu'il griffonne en hâte avec un stylo sur la paume de sa main, n'ayant sur l'instant pas d'autre support.

Dix jours, une éternité. Il regarde sa paume d'un œil morne, puis il replie ses doigts, les rouvre, recommence, tantôt rapidement tantôt lentement ; cela lui rappelle le jeu de la salière qu'il aimait pratiquer, enfant. Il excellait à confectionner toutes sortes de figurines en papier plié, des oiseaux, des bateaux, des petits chiens et chats, des avions, des fleurs... Ce qu'il préférait, c'était la salière, à cause de sa malléabilité, ouvert fermé, ouvert fermé, et des ronds de couleur appliqués au feutre sur chaque face triangulaire, et des mots écrits au revers ; des mots, des phrases courtes, parfois un vague dessin, ou un point d'exclamation, ou d'interrogation. Il y jouait souvent seul, faute de partenaire. Il glissait les doigts dans les creux de la salière, décidait d'un chiffre et manipulait son origami autant de fois que l'exigeait le nombre donné. Il choisissait parfois des chiffres élevés, pour mieux faire durer le plaisir. Ouvert fermé, ouvert fermé, les pointes de papier lui évoquaient des becs d'oisillons réclamant à manger. Ouvert fermé, ouvert fermé à vive allure, nombres, couleurs et mots se bousculaient, le jeu devenait suspense alors même qu'il l'avait fabriqué, il oubliait ce qu'il avait écrit, le redécouvrait en soulevant le mince volet marqué d'un point jaune, violet, vert, noir ou orange. Et le mot ou la brève phrase dévoilée prenait une saveur de surprise, d'injonction parfois. «Fais la toupie», il tournoyait sur place. «Tire la langue», il allait grimacer devant un miroir. «Dis l'alphabet», «Compte jusqu'à 50», il débitait avec minutie lettres et chiffres. «Fais un bisou», oui mais à qui?, il embrassait n'importe quoi, un jouet, un coussin, un bibelot, ou lançait des baisers à la volée dans le vide. «Récite un poème», il déclamait une comptine. «Mange un bonbon», il obtempérait sans délai, faisait même du zèle en en prenant un second. «Dis ce que tu veux», cela variait selon son humeur, il pouvait lâcher une flopée de grossièretés autant que de mots mélodieux, rire sur divers tons, marteler «Non non non» en secouant la tête, émettre des sons bizarres, rigolos, grogner en grimaçant comme un chien montrant ses dents, ou se taire. Ce qu'il voulait vraiment dire, il ne savait pas comment le faire, ne trouvait pas les mots pour ça. Il soupirait, ou murmurait *Maman*, mais si bas que le mot restait inaudible. Parfois aussi il refermait sa main, la salière se froissait, se déchirait au bout de ses doigts, il fermait l'autre main et, les deux poings serrés, il boxait dans le vide, frappant à coups redoublés en sautillant sur place.

Aujourd'hui c'est le nom *Gavril* qui bruit imperceptiblement au fond de sa gorge, il le sent rôder dans sa bouche, glisser sur sa langue, s'y dissoudre, s'échapper dans un souffle. Quant à celui de Gwezhennec-Yazarov, il commence à se brouiller sur sa paume à force de jouer à « ouvert fermé... » avec sa main, il le note dans un carnet avant qu'il ne s'efface.

Le voilà fixé sur le sort de Gavril. « Fixé » est le mot exact, la confirmation du décès s'est plantée dans son esprit tel un clou, paralysant sa pensée. Mais autour de ce clou, tout reste imprécis : la date et les conditions de sa mort, son lieu d'inhumation. Il arpente sa chambre, va fumer à la fenêtre. Une belle fin d'après-midi ensoleillé. Il regarde le ciel rouge orangé à travers les feuillages brunis. *Adieu Adieu Soleil cou coupé.* Ce vers fait irruption dans sa mémoire, Gavril citait souvent Apollinaire ; et un autre poème lui vient, un autre « Adieu » : *J'ai cueilli ce brin de bruyère L'automne est morte souviens-t'en Nous ne nous verrons plus sur terre Odeur du temps brin de bruyère Et souviens-toi que je t'attends.* Il récite ce poème à mi-voix, lentement, le répète en boucle, les mots se mêlent à la fumée de sa cigarette, bleuissent en volutes. L'odeur du temps ! Un peu de vent, des feuilles sèches, des bouffées d'essence et de poussière, l'arôme fugace du tabac.

Dix jours d'attente, dix jours à tuer heure par heure. Il a l'impression de se transformer en sablier, les secondes s'effritent, chutent doucement du haut de son crâne vers une zone inférieure de son cerveau. Et au terme, se demande-t-il, sera-t-il plus avancé, cette femme qui porte un double nom aux sons mi-heurtés mi-frottés comme un bruissement d'étoffe sera-t-elle en mesure de lui donner des informations ? S'il reste là à ne rien faire, il va s'enliser dans cette attente. Il se force à reprendre ses activités. Puisqu'il est venu à Paris pour affaires, il va s'acquitter des tâches prévues, puis il rentrera chez lui dans le Sud et ne reviendra que lorsqu'il aura obtenu un rendez-vous. Il va agir pendant ces dix jours comme si aucun imprévu n'avait surgi, aucun ébranlement n'avait eu lieu. Mais qu'a-t-il jamais fait d'autre depuis toujours, sinon vivre *comme si de rien n'était* ? Comme si la vie allait de soi, coulait de source, alors que, retenue dans sa source bourbeuse, sa vie n'avait jamais vraiment pris son élan, elle n'avait su que croupir et suinter par les pores du temps ainsi qu'une fièvre larvée, surtout à partir de l'année de ses dix-sept ans où Gavril avait disparu.

Gavril est mort, il ne le verra plus sur terre, odeur du temps brin de bruyère, odeurs du vent brins de mémoire.

Un soir, la tension en lui est trop forte, chagrin colère et angoisse le tenaillent à l'étouffer, il sort, il déambule sans but dans la ville. Il remarque trois filles qui tapinent le long d'un trottoir. Il ralentit le pas, les observe. Jamais encore il n'a eu recours aux services de prostituées, mais ce soir, il est prêt. Une des filles se détache du groupe et vient l'aborder. Elle porte une jupe en jean ultracourte et moulante à l'ourlet tout effiloché, et un bustier-corset noir à large échancrure sous un blouson en nylon jaune fluo. Son français teinté d'un fort accent sud-américain se limite au lexique du sexe et de l'argent. Elle dit s'appeler Tina, elle parle vite, et tout en débitant la liste des prestations qu'elle propose et le tarif de chacune, elle le regarde attentivement. À chaque client potentiel, elle doit essayer de flairer s'il y a soupçon d'un danger. Ce client-là ne lui paraît pas en présenter un, en plus il ne discute pas le prix et la paie d'avance. Comme il n'a pas de voiture où accomplir la passe, elle l'entraîne dans une rue adjacente qui se termine en cul-de-sac. Une rue étroite, en pente ; la fille s'y oriente d'un pas sûr, elle en connaît les recoins. Elle lui désigne le renfoncement de la porte d'un atelier de réparation de vélos, elle s'adosse contre le mur, remonte sa minijupe sur ses hanches. Son sexe est intégralement épilé, une étoile aux branches onduleuses est tatouée sur son pubis. Il la devine plus qu'il ne la voit, dans la faible clarté du ciel nocturne fané par l'éclairage urbain. Il presse son ventre contre l'étoile, Tina écarte les cuisses, il la soulève, elle remonte ses jambes qu'elle replie autour des reins de Nathan et elle s'agrippe à ses épaules. Elle est légère, et souple. Il soutient ses fesses dans ses mains ; leur rondeur, le soyeux de leur peau diffusent une impression de volupté dans ses paumes. Il voudrait que ça dure, longtemps, indéfiniment, que durent cette sensation de douceur et de brusquerie mêlées, cette pénétration dans la moiteur d'un corps, ce bas bruit de souffles à la fois retenus et s'accélérant, de balancements saccadés, que durent la montée du plaisir et ce sentiment d'urgence au goût d'éternité, mais la jouissance vient, elle éclate, le fauche. Il n'en a jamais ressenti d'aussi intense. Tina se rétablit sur ses jambes et remet son bout de jupe en place tandis qu'il s'affaisse devant elle. Il se sent rompu, sonné, il pose ses mains sur les chevilles de la fille et son front contre ses genoux. Un suppliant. Il a encore besoin du contact d'un corps, d'un appui physique concret, mais Tina se dégage agilement de l'étreinte, elle s'éloigne de quelques pas, se nettoie en hâte avec une lingette puis s'en va en lançant un « ciao » d'un ton badin, indifférent, sans se retourner. Il recouvre son équilibre, ses sens, et se relève enfin. Il regarde la fille remonter la rue, juchée sur des talons trop hauts qui la font tanguer un peu ; elle dandine très joliment son derrière. Son blouson, dans la demi-obscurité, a la luisance d'un bouton-d'or.

# 5

*23 septembre 2015*

Il doit encore attendre plusieurs jours après la date du retour de la femme au nom d'une sonorité de brindille sèche et de satin froissé pour réussir à la joindre et obtenir un rendez-vous. Cette fois, il réserve une chambre d'hôtel dans le Quartier latin, comme pour mieux se rapprocher de Gavril qui aimait particulièrement cet endroit et l'y avait souvent conduit. Un quartier riche en *mémentos*. Sitôt son bagage déposé dans sa chambre, il part faire un tour dans les environs de l'hôtel. Il s'engage dans la rue Rollin, étroite et rectiligne, qui se termine en impasse sans en être vraiment une en fait, un double escalier en forme de grand losange bâti contre le mur du fond donnant accès à la rue Monge. Une fontaine en fonte vert foncé appliquée dans une niche rectangulaire orne le palier de la montée des marches. Il s'arrête un instant à l'entrée de la rue, plisse légèrement les yeux pour essayer de retrouver l'aspect qu'elle avait du temps où il venait y flâner avec Gavril, car des changements sont survenus, qui parasitent son souvenir. Il y a quelques tags pâteux étalés sur des façades comme des bouses de couleurs criardes qui amoindrissent l'impression de blancheur qu'il avait conservée de ce lieu. Une rue au sol pavé de grès clair qui prenait un éclat de lait et de soie grise quand le ciel se chargeait de sourdes lumières d'orage, ou un ton de coquille d'œuf et des reflets d'argent après une forte averse. Un panneau signalant un chemin obligatoire pour piétons est planté à l'angle d'un mur. Nathan regarde le logo, la silhouette d'un adulte et celle d'un enfant, blanches sur fond bleu. Il fut l'enfant, il fut l'enfant… Cette pensée lui serre étrangement le cœur. Il s'efforce de se remémorer les divers noms que cette rue a portés au fil des siècles, Gavril les lui avait énumérés. Ils lui reviennent par à-coups, dans le désordre : rue du Puits-de-Fer, rue Neuve-Saint-Étienne-du-Mont, rue Tiron… Il en manque, il se concentre. Rue des Morfondus ! Comment a-t-il pu oublier ce nom-là ? Ah, et le tout premier : chemin du Moulin-à-Vent. Et pourquoi pas la renommer rue Gavril-Krantz ?

Il avance à pas lents. Il remarque un alignement de plots antistationnement des deux côtés de la chaussée, il n'y en avait pas dans le passé. Des blocs rectangulaires pareils à de grands livres rangés dans un coffret de pierre. *Mémento* : au numéro 2 vécut Blaise Pascal. Vécut, et mourut dans de grandes souffrances et des convulsions à l'aube du 19 août 1662, pas même quadragénaire. Là, quelque part derrière ce mur, son souffle s'échappa pour se fondre à la nuit qu'il avait tant sondée, après avoir exhalé son ultime prière – *Puisse Dieu ne jamais m'abandonner*. Mais à cette seconde, les jeux étaient faits, le temps de l'espérance était révolu, celui de la joie qui l'avait submergé une nuit de l'an de grâce 1654 s'ouvrait à lui.

– Il avait parié Face, misé à fond sur la Face du Dieu vivant, faut lui souhaiter d'avoir bien joué, avait dit Gavril un jour où il lui avait parlé de Pascal et résumé l'enjeu de son fameux pari.

– Et sinon ? avait demandé Nathan.

– Sinon quoi ? Rien ! Celui qui a parié que Dieu existe alors qu'en fait il n'en est rien, quand il tombe à l'heure de sa mort dans le néant commun à tous les hommes, il n'a alors plus de conscience pour découvrir qu'il s'est trompé, qu'il est floué, qu'il a perdu. Il n'a en conséquence rien perdu du tout puisqu'il vient de se dissoudre à jamais dans le néant. Il est à égalité avec celui qui a parié que Dieu n'existe pas. Plus aucune question ne se pose, plus aucun tourment ne te torture la pensée, tous et intégralement à la trappe, dans l'oubli éternel.

– D'accord, mais si c'est l'inverse, si t'as parié que Dieu n'est pas et qu'en réalité il existe, qu'est-ce qui se passe ?

– Tout dépend de l'idée que tu te fais de Dieu. J'estime qu'on en bave tellement pendant notre vie sur la terre qu'un Dieu considéré comme bon aurait franchement mauvaise grâce à punir les pauvres bougres qui n'ont pas cru en lui.

– Même les salauds, ceux qui ont fait beaucoup de mal ?

– C'est pas mon affaire. Il m'aura bien suffi de leur résister de mon vivant.

– Et toi, tu paries quoi ?

– Ni pile ni face, je fais rouler la pièce, qu'elle tourne et tournicote en restant sur la tranche. Je mise sur le mouvement.

– C'est pas du jeu, ça !

– Oh que si ! Enfin, c'est ce qui me semble le mieux adapté au chaos infini dans lequel nous sommes embarqués. La pièce qui roule reste debout, aussi penchée et chancelante soit-elle. Elle danse !

Et disant cela, Gavril avait esquissé quelques pirouettes avec la grâce d'un balai-brosse manié par un pochard.

Un peu plus loin, d'un bac suspendu à un rebord de fenêtre dégringolent de longues tiges de lierre. Une chevelure de fée des bois, de nymphe des rochers, elle frémit en un ruissellement vert foncé tacheté de jaune clair. Un chat tigré se renverse sur le dos à son passage, dans l'attente d'une caresse qu'il rejette au moment même où Nathan se penche vers lui ; l'animal se redresse vivement et s'éloigne d'une démarche ondulante, un petit grelot tintant à son cou. Nouveau *mémento* : au numéro 14 est apposée une plaque dont Nathan n'a pas le souvenir, à la mémoire de Descartes qui, résidant aux Pays-Bas, séjourna épisodiquement dans cette maison lors de ses retours à Paris. *« Me tenant comme je suis, un pied dans un pays et l'autre en un autre, je trouve ma condition très heureuse en ce qu'elle est libre. »* La liberté, non pas dans le déracinement, mais dans le non-enracinement. Dans le mouvement, le déplacement. La danse de la pensée dans les mystères du monde, les chaos de l'Histoire, sa contredanse face à Dieu, au néant. Gavril aura dansé jusqu'au bout, jusqu'à l'épuisement, se dit Nathan qui, lui, émerge tout juste d'une longue somnolence.

Il parvient à l'extrémité de la rue, où il retrouve le chat à rayures noires et rousses aux prises avec un congénère au pelage chocolat. Ils se font face à distance stratégique, les pattes raidies, l'échine arquée et le poil hérissé, les oreilles plaquées vers l'arrière. Ils rivalisent de miaulements rauques, de feulements, de crachats. L'arrivée de Nathan les fait déguerpir. Le mur en losange où est encastrée la fontaine est couronné d'un amas de fleurs et de feuillages. Un filet d'eau coule de la bouche béante d'un mascaron aux sourcils froncés dans une expression revêche ; il a des oreilles pointues d'elfe grimaçant, mais avec l'avalanche de fleurs roses, rouges, bleues qui tombe jusqu'au bord de sa niche, il a des allures de vieille rosière. L'arbitre des deux matous en guerre.

Alors qu'il revient sur ses pas, Nathan aperçoit une inscription qu'il n'avait pas remarquée tout à l'heure, et qui n'existait pas autrefois. Une plaque blanc-gris tenue par quatre clous dorés contre un mur au crépi crème à la hauteur du numéro 6 ; là où le chat s'était roulé sur le dos, tout près de la chevelure de fée saxifrage. Elle surplombe une petite ouverture protégée par deux barreaux en fer, semblable à un fenestron de cellule pénitentiaire. Le nom du poète et philosophe ayant habité dans cette maison du 15 avril 1932 au

7 mars 1944 lui est inconnu. Benjamin Fondane. Né à Jassy en 1898, mort à Auschwitz en 1944. Les noms de ces lieux, en revanche, lui disent beaucoup à présent. Cette plaque est plus qu'un *mémento*, dans le langage de Gavril, c'est un *stigmate*. Il a beau fouiller dans sa mémoire, ce nom décidément ne lui dit rien, et il s'étonne que Gavril ne lui ait jamais parlé de ce poète, pourtant originaire comme lui de Roumanie, et comme lui exilé. Il lit les quelques vers gravés sur la plaque :

> *Souvenez-vous seulement que j'étais innocent*
> *et que tout comme vous, mortels de ce jour-là,*
> *j'avais eu, moi aussi, un visage marqué*
> *par la colère, par la pitié et la joie,*
>
> *un visage d'homme, tout simplement !*

Il lit, relit ces vers, comme s'ils s'effaçaient à mesure de sa lecture, ou qu'il peinait à les comprendre. Peut-être est-ce le mot *innocent* qui l'entrave, il bute contre lui à chaque reprise ; ce mot lui fait l'effet d'un bris de verre qu'il aurait dans la bouche et qui lui blesserait la langue, grincerait contre ses dents chaque fois qu'il doit le prononcer, même muettement. Cet homme était innocent, il fut assassiné avec des millions d'autres innocents. Lui a perdu depuis longtemps la légèreté, la liberté de l'innocence, et il est toujours là, en vie. Il n'en garde pas moins un visage d'homme ; mais est-ce *tout simplement* ? Il regarde sa montre, il se hâte vers le métro.

Quand il frappe à la porte du bureau où l'assistante sociale doit le recevoir, celle-ci l'invite d'un ton ferme à entrer, puis à s'asseoir. Elle ne se lève pas de la chaise où elle-même est assise, elle le regarde d'un air à la fois distant et scrutateur et dit :

– Ainsi, vous êtes le neveu de M. Krantz.

Il se contente de confirmer d'un signe de tête, et aussitôt elle revient à la charge.

– Côté maternel ou paternel ?

Il ne s'attendait pas à cette entrée en matière, et il sent confusément que la fonctionnaire le tient en suspicion. Il déjoue le piège.

– Ni de l'un ni de l'autre. Disons que je suis un neveu d'adoption, et, précise-t-il, cette adoption est venue plus de moi que de lui.

Cette réponse détend son interlocutrice qui le gratifie enfin d'un sourire, mais elle ne désarme pas encore pour autant.

– Quand l'avez-vous vu pour la dernière fois ?

À nouveau il sent qu'il est inutile de mentir.

– Il y a très longtemps. J'avais déménagé, je l'ai perdu de vue. Mais jamais oublié.

– Pourquoi alors n'avoir pas cherché à le retrouver de son vivant ?

– Parce que je le croyais mort. On m'avait affirmé cela, je l'ai cru. Jusqu'à ce que tout récemment je découvre sa photo et son nom sur une affiche d'appel à témoins. J'espérais qu'il aurait été retrouvé vivant. Ainsi l'aurais-je revu. J'arrive trop tard.

Son malaise commence à tourner à l'agacement ; il est venu s'enquérir des derniers jours de Gavril et c'est lui qui est soumis à un interrogatoire. Il se tait, la regarde. Elle a un beau visage, singulier ; son teint est brun foncé, ses yeux marron clair, presque d'un gris légèrement ambré, ses traits sont métissés, ses cheveux sont coiffés en fines tresses très serrées, alignées géométriquement du front vers l'arrière de la tête où elles sont rassemblées en chignon. Elle aussi l'observe sans mot dire, les mains posées à plat sur son bureau ; elle attend ses questions mais il tarde à en poser, il se sent à la fois impatient et distrait, calme et anxieux, comme oscillant entre présence et absence. Peut-être est-ce dans ce silence que commence leur dialogue. Enfin elle reprend la parole.

– Que voulez-vous savoir, exactement ?

Il sursaute et, après un instant de confusion, répond :

– Tout. Enfin... tout ce que vous savez à son sujet. Ses derniers jours à l'hôpital, sa fugue, où et comment il est mort, où il a été enterré...

Elle rejette un peu la tête en arrière, respire puis expire profondément comme quelqu'un qui doit affronter un effort.

– C'est moi, en tant qu'assistante sociale, qui l'avais fait entrer dans le service où il est resté un peu plus de trois semaines. Je m'occupais de sa sortie prochaine, il devait être orienté vers un autre lieu d'accueil, pour une durée indéfinie. Son état de santé était très dégradé, il avait besoin de soins continus. Certainement n'a-t-il pas supporté cette perspective, il était farouchement indépendant, et il savait que sa situation physique autant que financière ne lui permettait pas de refuser son envoi en mouroir hospitalier. Ou plutôt si, il a refusé en s'échappant et en choisissant d'en finir. Bien que très affaibli, il a réussi à se sauver en catimini et à se traîner jusqu'à la Seine, où il s'est noyé. L'eau était froide, une nuit de février ; il a dû mourir presque sur le coup. On n'a retrouvé son corps que des semaines plus tard. Il a été transporté à l'Institut médico-légal pour autopsie. Son identification a été longue à établir, il n'avait aucun papier sur lui. La liste des gens qui disparaissent est grande, et les morts anonymes nombreux dans une ville de plus de deux millions d'habitants, aussi le cadavre d'un vieil homme méconnaissable après un long séjour dans l'eau, et que personne ne vient réclamer, ne provoque pas une enquête prioritaire, ni très opiniâtre. Mais on a quand même fini par l'identifier, et par l'envoyer au cimetière de Thiais, dans ce qu'on appelle par euphémisme la « division à caveaux de terrain commun », c'est-à-dire le carré des indigents. Je n'ai appris tout cela que tardivement.

– Vous dites qu'il s'est noyé. Mais quand ? Le soir même de sa fugue ou plus tard ? Et comment ? Vous semblez considérer comme évident qu'il s'agit d'un suicide, peut-être était-ce un accident, ou quelqu'un l'aura poussé…

– Tout est possible en effet, concède la femme. Mais le plus probable, quasi certain même, c'est qu'il s'est suicidé. Je n'y étais pas, aucun témoin n'a assisté à la scène, cela n'empêche. Gavril Krantz ne s'est pas sauvé de l'hôpital, n'est pas allé jusqu'à la Seine en pleine nuit pour faire juste une petite balade qui aurait mal tourné. Il a choisi un autre long séjour que celui qu'on lui destinait.

Une question idiote vient à l'esprit de Nathan : Gavril avait-il gardé ses pantoufles aux pieds quand il s'est jeté dans le fleuve ? Il lui plaît de penser que non. Puis d'autres interrogations bousculent la première : Gavril est-il entré dans l'eau en se laissant tomber de la berge, ou a-t-il sauté d'un pont, et si oui, lequel ? Avait-il rempli ses poches de cailloux ? Tenait-il une pièce de monnaie dans la main qu'il a lâchée à l'ultime moment pour la faire tourner sur l'eau ? Un noyé peut-il rester debout au fond de l'eau ?... Il ne formule aucune de ces questions absurdes, il demande seulement s'il est possible de trouver l'emplacement de la sépulture.

– Possible, oui, mais peut-être pas facile, ils sont des milliers enterrés là-bas, sous des dalles identiques, blanches et nues. Des tombes provisoires, d'une durée de cinq ans au terme de laquelle...

Soudain il décroche, la voix de la femme s'embrume, s'éloigne, il ne l'écoute plus, ne la voit plus, il imagine un carré gigantesque divisé avec une rigueur géométrique en innombrables rectangles, tous semblables, couleur de craie. Couleur d'os aussi bien.

– J'ai cueilli ce brin de bruyère L'automne est morte souviens-t'en Nous ne nous verrons plus sur terre Souvenez-vous que j'étais innocent... Odeur du temps... Un visage d'homme... un visage d'homme...

– Qu'est-ce que vous dites ? l'interrompt l'assistante avec étonnement.

Nathan reste bouche entrouverte, le regard flou, embué. Il bredouille une excuse sur le même ton sourd que celui qu'il vient d'avoir pour murmurer les vers entremêlés d'Apollinaire et de Fondane. Il ne sait pas ce qu'il marmonne, et plus trop où il est, ce qu'il fait là. Il est si pâle, si défait que la femme lui propose de mettre fin à leur entretien, et de le reprendre, s'il le désire, plus tard, ou un autre jour, et dans un autre endroit s'il le préfère.

# 6

Depuis cette entrevue, il n'a presque pas quitté sa chambre d'hôtel. Il a beaucoup dormi, abruti de somnifères. Entre deux plongées dans un sommeil léthargique, il a téléphoné à la personne qui lui a si longtemps laissé croire que Gavril Krantz était mort, et qu'il était, lui, responsable de cette prétendue mort, pour lui faire part de son incompréhension, de sa douleur et sa colère. Elle a décroché, l'a écouté, mais il semble qu'elle n'ait pas compris de quoi il s'agissait, les propos de Nathan étaient certainement embrouillés, proférés d'une voix étouffée par l'émotion, et puis, a-t-elle dit pour couper court à cette conversation absurde, elle n'avait pas le temps de bavarder, elle était sur le point de sortir, elle avait rendez-vous chez le dentiste et ne voulait pas être en retard, c'est déjà assez difficile comme ça d'obtenir un rendez-vous dans un délai convenable, on en reparlera une autre fois, et elle a raccroché.

Elle a toujours repoussé à plus tard les explications, toujours répugné à discuter, aucun véritable dialogue n'a jamais pu s'établir entre eux ; que des malentendus, des non-dits, des allusions parfois mortifiantes, et sinon, des banalités. Il ne la recontactera pas, du moins pas de sitôt ; son désarroi, accru par la dérobade de son interlocutrice, se condense en aigreur et en rejet allergique. Et lorsque le surlendemain elle a cherché à le joindre, il n'a pas décroché. Elle peut rappeler autant que ça lui chante, il n'est plus disposé à lui parler, ses échappatoires et ses mensonges lui sont devenus insupportables.

Mme Gwezhennec-Yazarov lui a donné rendez-vous dans un café situé dans un quartier éloigné de celui de l'hôpital, comme si elle voulait lui épargner de revenir dans un endroit où il s'est senti mal. Quand il arrive, il la trouve déjà installée à une table en terrasse. Elle porte un large bandeau rose orangé autour de la tête, noué sur une tempe en forme de gros œillet. Elle lui fait un signe de la main pour lui signaler sa présence. Elle n'affiche pas l'air maussade qu'elle a montré lors de leur première rencontre, elle lui sourit, mais elle s'adresse à lui avec la même brusquerie, sans préliminaires.

– Vous connaissez beaucoup de poèmes ? En écrivez-vous vous-même ?

La manière intempestive qu'elle a de l'interroger décidément l'irrite, il répond mais lui retourne vite la question.

– J'en connaissais un certain nombre autrefois, grâce à Gavril Krantz. Il était une sorte d'anthologie poétique vivante, il déclamait des vers comme on respire... Mais il y a si longtemps, j'ai presque tout oublié. Il me reste des bribes. Parfois me reviennent quelques strophes, quelques vers. Quant à en écrire, j'en serais incapable. Et vous ?

– Non plus. La poésie, je la trouve chez les autres, je la lis dans leurs vies.

– Ah ? Vous trouvez la vie des gens poétique, vous ?!

– On prétend que les plus beaux poèmes sont ceux que l'on n'a pas écrits. La plupart des gens n'en composent pas, mais tous en font, rien qu'en vivant. Et on trouve tous les genres, des burlesques, des baroques, des érotiques, des élégiaques, des surréalistes, des classiques, des lyriques, quelques héroïques, beaucoup de tragiques. En fait, c'est souvent un mélange de plusieurs genres qui se côtoient, se bousculent ou se succèdent. Oui, chaque vie peut être considérée comme un poème, plus ou moins foutraque, décousu, accompli ou raté.

– Celle de Gavril Krantz, vous la qualifieriez comment ?

– Difficile à dire. Tout sauf médiocre. Polyphonique, mêlant serrés l'amour, la solitude et la révolte, le chagrin et l'humour. Assurément tragique. Mais accomplie. Tant de vies restent inaccomplies. Non ?

Il ne peut qu'acquiescer à ce qu'elle vient de dire, et il a l'impression qu'elle a, bien mieux que lui, connu Gavril, mais sa dernière phrase ponctuée d'un « non » interrogatif le pique au vif, il se sent visé. Car il se sait inaccompli, failli même. Il se raidit, exaspéré.

Il veut partir, mais elle neutralise son élan de fuite en lui demandant quel lien il a entretenu dans sa jeunesse avec cet homme, elle aimerait l'entendre avant de lui raconter dans quelles conditions elle-même a fait tardivement sa connaissance, et pourquoi elle s'est intéressée à lui, s'y est même attachée.

Nathan fait un récit succinct de sa rencontre l'été de ses neuf ans ; le saltimbanque aperçu dans la rue, perché sur des échasses et jouant d'un instrument bizarre, puis l'amitié qui s'était nouée entre eux, comment ils se retrouvaient près de l'immeuble où habitait Nathan pour partir vagabonder dans la ville.

Gavril était un formidable conteur, il connaissait tant de choses, des poèmes à foison, des histoires en tout genre, des événements du passé, lointain et récent. Il avait été son précepteur buissonnier, et auprès de lui il avait appris bien davantage qu'à l'école. Il avait surtout appris ce qu'est la confiance – celle que l'on peut avoir en une autre personne, et aussi celle que l'on peut enfin trouver en soi. Mais si Gavril parlait d'abondance et se montrait souvent enjoué, drôle, toujours généreux de son temps, de son attention, et de l'argent qu'il avait ou pas, il restait réservé quant à son histoire personnelle, tant présente que passée, en Roumanie d'où il était originaire comme en France où il avait émigré vers la fin des années soixante. Nathan sait juste qu'il avait eu à souffrir de deux terribles systèmes d'oppression et de persécution, le premier dans son enfance pendant la guerre et le fascisme, où il avait perdu une partie de sa famille, le second dans la foulée du premier, tout au long du régime national-communiste, au cours duquel il avait été un moment incarcéré. Mais il ignore les détails de ces drames.

– Je n'avais que neuf ans quand je l'ai rencontré, dix-sept quand j'ai perdu tout contact avec lui. Certainement il ne voulait pas faire peser sur un enfant, ni même plus tard sur un adolescent, le poids d'histoires trop lourdes, trop sombres, dit-il pour expliquer la circonspection de Gavril. Il m'épargnait des tourments dont je n'avais pas besoin. Il aimait procurer du bonheur, de l'énergie, pas de la tristesse, il retournait très vite la gravité d'un propos en quelque chose de plus gai, plus vivace. Il avait le sens de la joie, qui m'a toujours fait défaut. Il disait que la joie, on peut en donner sans compter, même quand on n'en éprouve pas soi-même, parce que du seul fait d'en donner, on la crée. De la joie ex nihilo ! On crée quelque chose qui n'existait pas, à partir de rien, et on le fait exploser pour le multiplier et le distribuer ! Ça le faisait rigoler, il déclarait qu'ainsi on pouvait se faire pareil à Dieu, et que finalement ce n'est pas si difficile de jouer à être Dieu, il suffit de souffler dru sur le néant et de racler les ténèbres pour en faire émerger de la lumière. Sa conception de la joie, elle lui avait été inspirée par un de ses anciens codétenus, un intellectuel juif qui s'était converti en prison, avait été baptisé dans sa cellule par un pope également prisonnier qui lui avait versé un broc d'eau croupie sur la tête en guise d'eau bénite, et à sa sortie était devenu moine orthodoxe. Bon, je résume un peu à la truelle… Gavril portait beaucoup d'admiration à cet homme dont j'ai oublié le nom, mais il n'a pas pour autant suivi son exemple, et plutôt que d'entrer dans un monastère il a préféré quitter son pays. Je ne sais d'ailleurs pas s'il était ou non croyant. Cela n'a en fait aucune importance. Ce qui importe, ce ne sont pas nos croyances, nos idées, nos savoirs, mais nos actes, notre façon de vivre.

Nathan arrête là son récit, étonné d'avoir déjà tant parlé. Il ne mentionne pas les « coups de paradis » que Gavril organisait de temps à autre pour partager avec des amis le goût de cette joie qui le tenait envers et contre tout, ni combien lui-même avait rêvé d'être convié à l'une de ces fêtes, Gavril le lui avait promis mais reportait toujours l'occasion. Il attendait simplement que le garçon ait atteint sa majorité. Par méfiance, par prudence ? Nathan avait été surpris en grandissant de constater la cohabitation chez son ami d'une belle insouciance et d'un foutu culot, d'un esprit d'indépendance irréductible et d'une prudence presque maniaque, mais il avait fini par comprendre que le paradoxe n'était qu'apparent. La liberté se doit d'être attentive, avisée, sinon elle risque vite de se faire saboter, ou carrément bouffer par quelque prédateur. Ne pas s'exposer sous tous les angles, ne pas trop révéler de sa vie, sa famille, son histoire ; lui-même se préserve de la sorte, farouchement.

Mais au fait, ces amis avec lesquels il partageait des coups de paradis, qui étaient-ils, que sont-ils devenus ? Il se surprend de n'avoir pas encore interrogé l'assistante sociale à ce sujet.

– Il avait beaucoup d'amis, enfin, au moins un cercle de proches. Vous en a-t-il parlé, en avez-vous rencontré certains venus lui rendre visite quand il était hospitalisé ?

– Pour ce que j'en sais, il n'a pas reçu de visites pendant son séjour à l'hôpital. Je me souviens qu'il m'a dit un jour que ses amis étaient déjà, pour la plupart, décédés, ou trop âgés pour se déplacer. Il était seul. Très seul. Comme on le devient souvent à la fin.

Ce banal constat affecte péniblement Nathan. S'il avait su que Gavril était en vie, il aurait continué à le fréquenter, il ne l'aurait pas abandonné dans sa vieillesse, il aurait... Vanité de ce *si*, inanité de ce conditionnel. Nathan coupe court à ces regrets stériles, mais sous l'effet de cet arrêt brutal de sa pensée s'opère aussitôt un choc en retour, des souvenirs dont il ne soupçonnait pas en lui la présence remontent par flashs aussi rapides que nets à sa mémoire, certains sont fortement colorés, d'autres sonores. Le diaporama tourne à vive allure, soudain une image surgit, le crève, l'immobilise – celle du corps d'un noyé s'arrachant au limon fangeux d'un fleuve où il a pourri pour refaire surface, et Nathan revoit le visage de

Gavril sur la photo de l'affiche, ses yeux hagards, la tache à sa tempe, comme des galets sombres et poreux flottant sur l'eau. Un visage marqué par la colère, par la pitié et la joie, par la douleur, l'effroi… un visage d'homme tout simplement, passionnément. Cette vision le glace. Mais il ne veut pas une fois encore se laisser ébranler par un assaut d'angoisse devant cette femme qui affiche toujours un calme de chatte assise sur le rebord d'une fenêtre d'où elle observe la rue, et il dit ce qui lui vient à l'esprit :

– C'est drôle, je réalise à l'instant que j'ai quasiment le même âge aujourd'hui que Gavril quand je l'ai rencontré. J'aurai bientôt quarante-quatre ans, il en avait à peine quarante-cinq. Il me semblait alors si vieux du haut de mes neuf ans. Le plus vieux des deux, en fait, c'était moi.

Et sur cette inversion des âges, il passe la parole à la femme.

Contrairement à lui, elle n'hésite pas à parler d'elle, de sa famille ; de son patchwork familial, ainsi qu'elle le nomme, et elle ajoute qu'en général elle commence même par là, moins pour satisfaire la curiosité qu'elle devine parfois dans le regard de ses interlocuteurs que pour indiquer où elle se situe, d'où elle voit les choses. Par son père, elle est issue d'une vieille lignée bretonne, par sa mère, elle est d'ascendance malienne, son mari est d'origine bulgare. Elle tient son prénom Hawa de sa grand-mère maternelle. Elle vit à la croisée de plusieurs cultures, plusieurs mémoires, dans le bruissement de plusieurs langues, dans les traces de différentes religions. Plusieurs légendes, ajoute-t-elle, car les identités en sont pétries. Ce métissage l'a sensibilisée de bonne heure à la difficulté, pour chacun, de faire émerger son individualité, de se forger une personnalité, surtout lorsqu'on est issu de nœuds de racines diverses qui se sont ramifiés. Comme on ne peut pas tout garder intégralement, revendiquer à parts égales une variété de croyances, et pas seulement religieuses, qui sont parfois discordantes, on est obligé de faire des choix, donc des coupes, des sacrifices, voire des reniements. Et on les fait en fonction des influences reçues, des pressions familiales, sociales, de l'atmosphère ambiante plus ou moins confinée dans laquelle on évolue. On est à la fois des héritiers et des renégats, des successeurs et des déserteurs, des nantis et des orphelins... Bref, des chimères humaines. Elle précise :

– Chimères au double sens, autant celui de mirages et de fantasmes que celui de créatures fabuleuses, hybrides, comme la sirène, le minotaure, le sphinx, le griffon, le lycanthrope ou la licorne...

Nathan suit son discours d'une oreille flottante, mais au mot *chimère*, il a un léger sursaut.

– Vous n'êtes pas d'accord ? demande Hawa.

– Si, si, tout à fait. Mais continuez, je vous en prie.

Il pense à Gavril. Une chimère homme-oiseau ; c'est ainsi qu'il lui était apparu la première fois. Un homme à pattes et tête d'ibis qui désarticulait les mots et les sons pour en extraire des tonalités saugrenues. Quand plus tard il avait découvert le personnage de Thot, le dieu ibiocéphale de la mythologie égyptienne considéré comme l'inventeur du langage et de l'écriture, doué d'un savoir illimité et maître du temps, Nathan l'avait assimilé à Gavril. Certes, ce dernier en était un écho lointain, une figure cabossée et fantasque, plus ironique que hiératique ; il n'était le maître de rien, de personne – sinon de lui, l'enfant Nathan –, et le savoir qu'il dispensait était une semaille hétéroclite, mais de cette semaille à la volée il s'était beaucoup nourri, et il en gardait une faim lancinante. Il regarde Hawa Gwezhennec-Yazarov à la dérobée, il se demande à quel type de chimères elle pourrait être apparentée ; à l'ordre des sphinges, peut-être, à cause de sa manie de poser des questions aussi bien aux autres qu'à elle-même, aux individus en particulier qu'à l'humain en général. Quant à lui, il préfère ne pas chercher à quelle espèce mythique ou fantastique il peut être associé.

Tandis qu'il vagabonde mentalement dans son bestiaire, Hawa poursuit son propos dont le fil reste bien tendu quelles que soient les bifurcations qui surviennent. La sphinge est tenace, elle sait ce qu'elle veut, où elle va et selon quel trajet. Après la présentation succincte de sa mosaïque familiale et quelques généralités sur la construction problématique de l'identité, elle passe au métier qu'elle exerce, qui la met en contact avec tant de gens de milieux et d'âges différents. Mais, depuis deux ans, elle s'est spécialisée dans l'accompagnement de personnes âgées dont elle évalue la situation afin de les orienter vers des services et des lieux d'accueil qui leur sont destinés. Cela requiert une grande capacité d'écoute. Et, précisément à cause de cette nécessité, elle a appris à entendre plus loin que ce qui est dit, entre et dessous les mots, au bord du silence, mais un silence qui bruit, s'agite, est en émoi. Chez beaucoup de vieilles gens les strates du temps se fissurent, basculent, se renversent, le passé prend le dessus sur le présent, la voix d'enfance depuis si longtemps tue croît peu à peu en volume, en ampleur, et plus elle a été blessée, réduite au secret, frappée d'oubli, plus elle remonte en force. Mais chez certains individus, même ainsi poussée, pressée par les remous et les bruissements qui pulsent des tréfonds de leur chair, la voix d'enfance ne trouve pas une issue assez large pour se libérer, elle ne sait que s'écorcher dans les méandres et les éboulis de leur mémoire, alors elle suinte comme un pus de larmes, une sueur de chagrin à travers leur respiration un peu rauque, elle s'échappe à travers leurs hésitations, leurs achoppements contre des mots qui se dérobent, leurs confusions de termes, de dates, ou encore à travers leurs regards perdus. Dans ces moments-là, au cœur même de leur confusion, quelque chose transparaît – des fractions de sens, des frôlements de mémoire, des appels. Quelque chose se dit, qu'il faut saisir à la volée, mais en douceur, et aider à se déployer, à se confier, pour le mettre en récit. Toutes ces voix ne présentent pas un égal intérêt, du moins toutes n'en éveillent pas un de particulier en elle, mais celles qui l'émeuvent ou l'intriguent, elle tâche d'en conserver une trace. Gavril Krantz fait partie de ces gens-là.

Et soudain elle se tait, comme si elle n'avait plus rien à ajouter, ou qu'elle ne savait pas comment continuer. Nathan finit par la relancer d'un simple :

– Et ?...

Mais une fois encore elle le déroute, loin de reprendre son discours là où elle l'a interrompu, elle s'adresse à lui avec sa franchise un peu rude :

– Voyez-vous, la première fois que vous êtes venu

me voir, je ne savais pas qui vous étiez, ce qui moti-
vait votre démarche, qui était peut-être louche. Il
m'est arrivé plusieurs fois d'être contactée par des
individus qui se prétendaient de la famille d'une personne disparue dans l'intention d'avoir accès à son
logement, de s'approprier quelques biens, aussi misé-
rables fussent-ils, ou pour une autre obscure raison.
Vous disiez être un neveu de Krantz, or je savais qu'il
n'en avait pas, sa fratrie ayant été exterminée en bas
âge en même temps que la mère, et que le père, lui,
était mort au combat vers la même époque. Et il n'a
jamais mentionné votre nom, mais j'ai fini par faire le
lien entre ce garçon auquel il a une fois fait allusion
et vous. Peut-être me suis-je trompée ? J'ai compris
surtout que cet homme avait beaucoup compté pour
vous, même si vous n'êtes pas très expansif.

– Ce garçon, qu'en a-t-il dit ?

– Peu de choses, en fait je n'ai pas toujours bien
compris de qui il parlait exactement, il me donnait
parfois l'impression de mélanger les personnes, les
époques…

– Peu de choses, mais lesquelles ?

– Un gamin qu'il aimait bien mais qu'il avait perdu
de vue, comme tant d'autres personnes plus ou moins
soudainement effacées de sa vie…

– Vous a-t-il parlé d'un accident de moto survenu vers la fin des années quatre-vingt ?

Elle réfléchit, mais conclut négativement, puis elle ajoute en souriant :

– Je n'imagine vraiment pas cet homme en motard !

– Il ne l'était pas en effet, mais l'idée de rouler à moto excitait sa curiosité. Ce qui lui faisait envie, c'était d'éprouver la sensation de la vitesse. Une fois il a eu l'occasion d'en faire l'expérience, ça s'est mal terminé.

– J'ignorais cet épisode. En tout cas, il n'en gardait pas de séquelles, du moins pas graves, pas visibles. Mais quel rapport entre le garçon perdu de vue et cet accident ? Vos questions s'entrechoquent bizarrement parfois...

– Aucun rapport, excusez-moi, cet incident m'est juste revenu à l'esprit, comme ça, il est en fait sans importance. Mais continuez, je vous écoute.

– En fait j'ignore presque tout de sa vie en France car je l'ai surtout questionné sur celle passée dans son pays natal, je comptais aborder ensuite l'histoire de son émigration, mais il ne m'en a pas laissé le temps, il s'est éclipsé avant. J'ai donc commencé par le commencement, son enfance dans un village de la région du Banat, au milieu de sa famille maternelle, des Roms Boyash. Il...

Nathan l'interrompt, il répète le dernier mot qu'il n'a encore jamais entendu.

– Des Boyash ?...

– Oui, des Tsiganes de l'Est, du groupe boyash. Je crois que ce nom renvoie au métier traditionnel qu'ils exerçaient autrefois, la fabrication d'objets en bois.

Nathan n'a que faire de cette étymologie, ce qui le stupéfie, et le peine, c'est d'apprendre que Gavril Krantz était tsigane, au moins par sa mère, et que jamais il ne lui en avait parlé. Était-ce par honte, par pudeur, par méfiance ou par douleur qu'il avait gardé secrète cette appartenance ? Plus il tente de retrouver Gavril, et plus celui-ci se dérobe. Mais c'est à lui-même surtout qu'il en veut, il a trop longtemps fait preuve de passivité, d'un manque de curiosité à l'égard de cet homme dont la seule présence lui suffisait. Il était encore très jeune, et timide, l'âge et la personnalité de Gavril lui en imposaient, il n'osait pas outrepasser les limites qu'il devinait tracées autour de cette chimère aux yeux semblables à des monnaies de cuivre luisant dans l'eau d'une fontaine. Il avait déposé tant de vœux et de rêves et puisé tant de brefs émerveillements et de moments de joie dans cette eau sombre à reflets roux. Une fois encore il répète, à mi-voix *Boyash, Rom Boyash*... comme pour se familiariser avec ces mots qui viennent se greffer sur Gavril.

– Quand, et pourquoi vous a-t-il parlé de tout cela qu'il avait si longtemps tu ? Et qu'a-t-il dit ?

– Le déclencheur a été la série d'attentats du mois de janvier dernier, survenue dans la foulée de la guerre civile de Syrie et des atrocités commises par les terroristes djihadistes. Une exubérance de crimes, de tortures, de viols qui bat toujours son plein et qui fait s'enfuir des gens par millions, dont un grand nombre crèvent en chemin, dans des camps ou en mer. Cela a réveillé chez Krantz, plus de soixante-dix ans après les faits, les effrois de son enfance. Il a perdu le goût de vivre, presque cessé de s'alimenter. J'ai réussi à le faire hospitaliser. Et c'est là, dans son lit d'hôpital, qu'il s'est mis un jour à parler. Il était très affaibli, mais en même temps agité, des moments d'apathie alternaient en lui avec des accès de loquacité scandés de quintes de toux, ce qu'il racontait n'était pas toujours intelligible, entre son essoufflement, son accent qui semblait s'être accentué et de nombreux mots de sa langue maternelle ou parfois en allemand qui surgissaient dans le chaos de ses phrases. À la visite suivante, j'ai apporté un petit magnétophone, j'ai déclenché l'appareil dès qu'il s'est mis à parler. Quand il était trop décousu j'essayais de le remettre sur les rails en lui posant des questions. Mais je ne suis pas sûre qu'il m'ait toujours entendue, il se parlait à lui-même, ou plutôt à ses fantômes, et il lui arrivait de se taire, d'un coup. Il tournait la tête vers le mur, et se figeait, muet. Je ne pouvais plus rien tirer de lui.

– Savait-il que vous l'enregistriez ?

– Non. Il était déjà trop distrait, pour ne pas dire en train de s'abstraire de ce monde, pour s'en rendre compte. Je vous l'ai dit, c'est avec ses fantômes qu'il parlait.

– Pensez-vous qu'il aurait donné son accord s'il avait été moins épuisé, moins absent ?

Elle attend quelques secondes avant de répondre, fichant droit son regard dans celui de Nathan.

– Non. Il n'aurait pas accepté. Enfin, je ne crois pas. Il n'était pas homme à se confier facilement, à se pencher sur son passé pour en dérouler des discours.

– Et cependant vous l'avez fait.

Nathan prononce cette remarque d'un ton neutre, il n'y a aucun reproche dans son constat. Il cherche seulement à comprendre.

– Oui, sans hésiter. Car ce n'était pas le trahir, lui-même ne trahissant personne. Au contraire, il donnait enfin un peu de résonance à toutes ces voix qui mugissaient tout bas en lui depuis des décennies. Disons que j'ai recueilli cette résonance pour en garder une trace, la prolonger... Il arrive un moment où le silence que l'on a longtemps tenu doit s'ouvrir, laisser échapper des voix, des souffles, sinon il n'aura été qu'un vide desséchant, stérile. Et puis, ce sont autant les fantômes qui l'habitaient que lui-même hanté par eux qui se mettaient à parler. Dernier appel avant l'oubli total, ultime signe avant le néant. Pourquoi faudrait-il laisser la parole seulement à ceux qui ont volé celle des autres ? Gavril Krantz est resté jusqu'au bout fidèle aux siens en entrouvrant in extremis le cercle de silence dont il les avait entourés. Il s'est en fait comme effacé devant eux, avant de disparaître complètement avec eux.

Elle se tait un moment, puis reprend :

– Ces histoires sont sans fin, elles se reproduisent siècle après siècle. Histoires de guerres, de déportations, d'emprisonnements, de supplices et de réductions en esclavage, de purifications ethniques, sociales, religieuses, et à la fin, d'exterminations. Jusque dans ma famille en patchwork, où que je me tourne je trouve des exemples de cette incurable folie d'intolérance dont certains de mes ancêtres ont eu à faire les frais. Même du côté breton ! Pendant longtemps, les Bretons ont été considérés en France comme des étrangers dont la langue était ravalée au rang de borborygmes, les mœurs, les traditions, les croyances taxées de grotesques, d'arriérées. Du côté de la famille de mon mari, c'est pire, ses arrière-grands-parents, coupables d'être des koulaks, du moins désignés comme tels, sont morts d'épuisement, ou fusillés, dans un camp de détention implanté sur une île au milieu du Danube. C'était du temps du stalinisme, tout ce qui sortait du rang tracé au cordeau bétonné par le pouvoir devait être éliminé. Le nom de l'île pénitentiaire est joli : Béléné. Parmi les survivants de la branche paternelle, certains se sont exilés, dont mon beau-père. Et si je me tourne du côté du Mali, c'est pire encore. Là, ce n'est pas du passé, c'est maintenant. Dans le cru du présent, la désolation…

Son débit s'est fait de plus en plus saccadé et d'un coup sa phrase s'arrête, comme cassée. Elle détourne son regard qui file à l'oblique vers un point de fuite indéfini où il semble se perdre. Nathan n'intervient pas, ne cherche pas à la relancer, il allume une cigarette, la fumée estompe leurs visages dans une brume bleutée. Lui aussi se sent mis en suspens, sans trop savoir au-dessus de quel vide. Hawa revient du lointain où elle s'est un instant réfugiée, et, retrouvant son élocution habituelle, elle annonce qu'elle doit partir. Comme elle se penche sur son sac à main accroché au dossier de la chaise, Nathan l'interrompt, il tient à payer leurs consommations. Elle le remercie mais continue à fouiller dans son sac, d'où elle extrait une enveloppe kraft qu'elle dépose devant lui.

– Non seulement j'ai enregistré Gavril Krantz à son insu, mais j'ai dupliqué cet enregistrement. Le voici, c'est pour vous. Je vous préviens, le son n'est pas très bon, la voix de Krantz est fatiguée, parfois presque étouffée, et il y a des bruits parasites. Mais c'est mieux que rien.

Elle se lève, Nathan reste les yeux fixés sur l'enveloppe, incapable de dire merci ou au revoir.

– Vous ne me demandez pas si j'ai hésité à faire une copie de mon enregistrement clandestin ? Ma réponse est oui, au contraire de ce qui s'est passé pour l'original. Franchement, oui, j'ai hésité à vous donner ce double. Et puis j'ai pensé que vous saisiriez peut-être des choses que moi je n'ai pas comprises, et que vous pourriez m'apporter des éclaircissements. Au fond, c'est un cadeau intéressé que je vous fais. Bon, vous savez où me joindre si vous l'estimez nécessaire, vous avez mes coordonnées à l'hôpital.

Nathan réagit enfin, il se lève d'un bond, dans sa précipitation il bouscule la table, renversant les tasses et les verres dont un tombe sur le sol et se brise.

– Si vous maltraitez pareillement le CD que je viens de vous confier, pas la peine de vous le laisser.

Elle dit cela d'un ton moqueur, mais lui s'affole, vite il saisit l'enveloppe qu'il enfouit dans la poche de sa veste tout en se confondant en excuses et en remerciements. Elle lui sourit et cette fois prend congé. Il la regarde s'éloigner, planté raide devant le guéridon maculé de taches de marc de café, une main plaquée contre sa poche.

# 7

*Les années fantômes*

Nathan quitte Paris le jour même, et sitôt de retour chez lui il écoute le CD, ou plutôt il se prépare fébrilement à l'écouter sans réussir à aller au-delà d'une poignée de secondes. À peine les premiers mots sont-ils prononcés qu'il appuie sur la touche Stop, puis Rewind, et à nouveau Play.

– *Bonjour, monsieur Krantz. Comment allez-vous depuis ma dernière visite ?*

– ...

La réponse est inaudible, un chuchotement. C'est à cet instant qu'il arrête. Il reste sur le seuil. La voix presque enjouée de Hawa revient en boucle, à lui donner le tournis.

– *Bonjour, monsieur Krantz. Comment allez-vous depuis ma dernière visite ?*

– …

Stop. La phrase articulée a la monotonie têtue d'un coup de sonnette sans fin réitéré. *Bonjour, monsieur Krantz...* Rewind. Il sonne, mais ne veut pas qu'on lui ouvre, il ne veut pas entrer. Il ne veut rien. Il ne sait pas ce qu'il veut. Le bruissement qui suit la sonnerie le pétrifie. Qui va là ? Quelle est cette apparition vocale qui se tient juste derrière la porte ? Où va-t-elle l'inviter ? Peut-être à un « coup de paradis » ? Play !

– *Bonjour, monsieur Krantz. Comment allez-vous depuis ma dernière visite ?*

– …

Stop. Il a peur de la joie qui l'attend. Si, d'être trop forte, cette joie l'abattait ? Et si ce n'était pas une joie ? Pas un « coup de paradis » mais un coup de vent gris fer ? Qui se tient là ? Quelle est cette poussière vocale qui frémit derrière la porte ?

C'est une ombre, un homme à trois yeux d'ombre à reflets roux, un noyé à voix d'ombre et d'eau ; un suppliant. Rewind.

Il finit par s'allonger sur le sol, l'appareil posé près de lui. La sonorité s'amplifie, ça grésille autour de lui, ça parle tout contre son oreille. À une énième relance, il superpose sa voix à celle de Hawa.

– Bonjour, Gavril. Comment vas-tu depuis notre dernière rencontre ?

Et cette fois il laisse la bande se dérouler.

Le murmure se colore un peu, Nathan perçoit la respiration de Gavril et croit même deviner le mot «bonjour». Des bruits de tissu froissé, d'oreiller tapoté ; Hawa doit certainement aider le vieil homme à se redresser dans son lit.

– *Monsieur Krantz, l'autre jour vous avez commencé à me parler de vos parents, de leurs origines différentes, car, si j'ai bien compris, votre mère était rom, mais pas votre père. J'aimerais bien que vous me disiez comment ils se sont rencontrés. Moi aussi je viens de parents que rien ne destinait à s'unir. Et, déjà, pouvez-vous me dire quels étaient leurs prénoms ? J'aime bien entendre le son des noms.*

– *Mon père s'appelait Tobias, ma mère Stella. Mais je ne prononce pas souvent leurs noms, ni ceux de tous mes proches disparus. Il faut laisser les morts en paix.*

Sa voix est lasse, son débit lent. Hawa se met au diapason, elle assourdit et ralentit légèrement sa diction, elle introduit des pauses, des points suspensifs.

– *Mais ce n'est pas leur faire tort que de rappeler*

*leurs noms, au contraire. À ne jamais en parler, ne risque-t-on pas de les livrer plus vite à l'oubli ?*
   *– Se taire n'est pas oublier. C'est... c'est... Combien de fois mon grand-père m'a répété autrefois cette parole du Décalogue :* Du sollst den Namen des Herrn deines Gottes nicht missbrauchen...
   *– Excusez-moi, mais je ne comprends pas l'allemand.*
   *– Il ne faut pas invoquer en vain le nom de Dieu.*
   *– Mais les morts ne sont pas Dieu !*
   *– Si. Non. Je ne sais pas. Pas Dieu, des dieux. C'est dit dans un psaume.* Ihr seid Götter. Allzumal Kinder des Höchsten. *Vous êtes des dieux. Tous des enfants divins. Tous nous le sommes.* Aber wir sterben wie Menschen. *Mais comme des hommes nous mourons. Souvent comme des bêtes.*
   *– Votre grand-père était allemand ?*
   *– Le père de mon père était un Souabe du Banat. Il parlait le roumain, mais en famille l'allemand. Et il lisait la Bible en allemand. Tous les matins et tous les soirs, à haute voix, un chapitre. Et je devais écouter, et lire à mon tour quand j'en ai été capable.*
   *– Pourriez-vous me parler de ce grand-père ?*
   Après un long silence, Gavril énonce son prénom, puis se tait à nouveau, comme s'il avait tout dit.
   *– Klaus. Klaus Krantz.*
   *– Vous n'hésitez pas à prononcer son nom...*

– *Lui, c'est comme un caillou dans mon cœur.*
– *Un caillou ? Que voulez-vous dire ?*
– Ein Stein. Piatra. *Une pierre.*
– *Vous... vous l'avez aimé, ce grand-père ?*
– *Il m'a élevé quand j'ai été séparé de mes parents.*
*Pendant la guerre.*
– *Vous aviez quel âge ?*
– *Sept ans, je crois.*
– *Et votre grand-mère, elle s'est occupée aussi de vous ?*
– *Il était veuf.*
– *Ah... Et comment était cet homme, avec vous ?*
– Ein Grabstein.

Sur ce mot, dont Nathan n'est pas sûr de saisir le sens exact, le dialogue cesse ; un grincement de sommier puis un bruit de respiration oppressée prennent le relais. Clac de la touche Stop. Hawa l'avait averti, Gavril pouvait s'interrompre d'un coup et s'enfermer dans le mutisme. Nathan va découvrir que la plupart des séances s'achèvent ainsi, « face au mur ». Hawa a beau ruser, patienter, insister sur certaines questions, Gavril finit toujours par déclarer forfait abruptement. Mais à force de persévérance, elle a tout de même obtenu des informations ; des bouffées du passé, des dates, des événements, des noms de lieux, de personnes, des salves de mots, et de-ci de-là des détails, car parfois Gavril se laisse surprendre par un sursaut de mémoire particulièrement vif et précis qu'il se met alors à décrire comme pour s'assurer de la présence de ce souvenir – en lui à l'instant présent, en lui depuis des décennies. Et Nathan, à force, lui, d'écouter, réécouter toutes les plages du disque avec une attention d'une vigilance aiguë, parvient à dégager un récit d'entre ces fragments en désordre, à voir s'esquisser quelques portraits. Il note dans un carnet tous les éléments qu'il glane puis il s'applique à rétablir un ordre chronologique et à replacer les faits dans le contexte historique de l'époque. Pour cela, il lui faut se documenter, il lit des articles sur la Roumanie pendant la Seconde Guerre mondiale et cherche des études consacrées à la persécution des Roms, plus difficiles à trouver car peu nombreuses ; il regarde des cartes politiques d'alors montrant les changements territoriaux, les déplacements de frontières. Les pays se dilatent, rétrécissent, se distordent, avalent avec avidité de larges pans des terres voisines, puis les voisins mordus les dévorent à leur tour dès que tourne le vent capricieux de la victoire.

Il découvre des pages de l'histoire du siècle dernier et en particulier d'une population et d'un pays dont il ignorait en fait presque tout. Au fur et à mesure Gavril prend un relief nouveau, mais celui-ci est sujet à des flux et des reflux, passant du saillant à la grisaille. Nathan essaie de l'imaginer enfant, jeune homme, et de se représenter Tobias le fils rebelle, Stella dans tout l'éclat de sa beauté juvénile, Klaus le *Grabstein*, et tous les autres proches évoqués au fil des enregistrements. Il reprend l'ensemble de ses notes et les mêle dans un nouveau carnet, plus volumineux, aux informations qu'il a récoltées et aux commentaires, parfois réduits à des questions, que certaines paroles de Gavril lui inspirent. Il écrit au stylo, habitude qu'il a pourtant perdue depuis longtemps, mais à travers la fatigue qu'il ressent dans sa main, son poignet, il a l'impression de mieux *toucher* les éléments épars qu'il a recueillis et ainsi de parvenir à les accorder avec plus de justesse. Peut-être aussi, par fugaces instants, a-t-il la sensation de frôler la main de Gavril.

Ce travail d'enquête et d'ordonnancement mobilise son attention et met en veilleuse les sentiments ambivalents qui l'agitent avec force depuis la découverte de l'affichette puis la rencontre de Hawa Gwezhennec-Yazarov et l'écoute de l'enregistrement. Il n'a pas le temps de se laisser aller à la nostalgie, à la tristesse ou à la colère, du moins il ne s'octroie pas cette possibilité, la tâche à laquelle il se livre, d'assemblage et de comblement des vides laissés par Gavril dans ses entretiens, est trop impérieuse et accaparante. Mais par moments, un élément le prend de court, l'ébranle, il lui faut alors se ressaisir au plus vite, poursuivre la mission qu'il s'est donnée. Exhumer Gavril de la méconnaissance où il était relégué, lui élever un tombeau pour mieux l'en libérer, plus vif.

## Carnet de Nathan

*\* Klaus Krantz*
*Descendant de colons allemands arrivés vers le milieu du XVIII<sup>e</sup> siècle dans une plaine du Banat pour cultiver la terre. Il a épousé une femme issue de la même communauté et du même milieu de paysans devenus aisés. Le nom de cette femme n'est pas précisé par Gavril ; il ne l'a pas connue. Elle a dû mourir jeune, peut-être lors de l'accouchement de son cinquième enfant.*

*\* Tobias Krantz*
*Troisième enfant de la fratrie, et le seul sur les cinq mis au monde à avoir atteint l'âge adulte, les autres étant morts soit d'un accident, soit de maladie, à l'adolescence ou dans la petite enfance, le dernier à sa naissance.*
*Tobias, le fils du milieu, est donc en même temps fils unique et l'unique héritier du domaine familial. Son*

*destin est tout tracé, comme les sillons creusés bien droit dans la terre des Krantz.*

*Mais vers l'âge de vingt ans un imprévu le fait dévier de cette voie rectiligne : la rencontre d'une femme, ou plutôt une très jeune fille, membre d'une communauté totalement étrangère à celle des Krantz, et même incompatible, car du rang le plus bas de la société, celui des Roms (groupe des Boyash). Où, comment l'a-t-il rencontrée ? Gavril ne le dit pas, seulement que Tobias en est tombé fou amoureux et veut l'épouser. Le père est furieux, il s'oppose à une telle mésalliance. Tobias n'en a cure. Son père le chasse, le renie, le déshérite. Tobias quitte la maison paternelle tel François d'Assise renonçant à tout, à son statut social, à la richesse, et s'en allant nu pour unir sa vie à sa Fiancée Dame Pauvreté. La sienne s'appelle Stella, elle est très jeune, ravissante et rieuse. Gavril mentionne plusieurs fois la vivacité de son rire. Un gadjo qui abandonne tout pour épouser une Tsigane est accueilli par la communauté et intégré à elle. Le Souabe devient boyash.*

*\* Stella-Tobias*
*Ils ont eu trois enfants, en auraient eu davantage si on les avait laissés en vie, en paix. Mais la guerre arrive, le général Antonescu prend le pouvoir, se promeut maréchal, et il fait alliance avec l'Allemagne nazie dont*

*il partage les grands élans d'orgueil et les mépris multiples. Les Roms font partie des indésirables à exterminer au même titre que les Juifs, les francs-maçons, les homosexuels, les communistes, tous les opposants politiques... La déportation des Roms commence en 1942 et se poursuit jusqu'en 1944 ; elle procède par étapes, d'abord les nomades puis les sédentaires. En 1941 Tobias entre dans un maquis de résistance. Il est tué lors d'un combat, à une date imprécise, début 1942 probablement.*

*Au printemps de cette même année, Klaus Krantz se rend dans le village où vit la famille de son fils disparu. Le deuil prend le pas sur le reniement, le chagrin sur le déshonneur. Il vient chercher un ultime descendant, même mâtiné de sauvage. Tout en lui est massif, se souvient Gavril, qui parle d'un homme vêtu de noir du chapeau jusqu'aux souliers, au visage anguleux, aux mains larges. Un homme couleur de pierre, de lave, à la voix minérale. Il ressemble à Tobias, mais en plus vieux, en gris et noir, et surtout en tellement plus rigide, presque glacé. Les enfants en ont peur. Est-ce la mort qui a ainsi transformé leur père ? Il observe chacun des enfants, longuement, puis il demande à parler à Stella, seule. Au sortir de la discussion, Stella pleure, Gavril se souvient de ces larmes, et de leur goût quand il l'a embrassée pour la dernière fois. Elle lui dit qu'il va partir avec ce monsieur, qu'il doit partir avec lui, il reviendra plus tard les rejoindre. Cet homme est son grand-père, il prendra soin de lui. L'homme de pierre, Steinherr comme il l'appelle, se penche vers lui, lui prend la main. Il voudrait crier, appeler sa mère, son frère, sa petite sœur, s'accrocher à eux, mais il est muet. La force et la rugosité de la main du Steinherr le pétrifie à son tour. Il part sans même se retourner.*

*À l'automne, Stella, ses deux autres enfants, toutes les familles roms du village et des alentours sont déportés en Transnistrie, longue bande de terre qui s'étend entre le fleuve Dniestr, que Gavril appelle Nistru, et la rivière Boug. De cet ancien territoire soviétique tombé pour un temps bref dans l'escarcelle roumaine, Antonescu décide de faire une petite « Sibérie roumaine ». C'est une grande poubelle à ciel ouvert où l'on entasse Juifs et Roms, opposants et résistants, et où l'on meurt en masse, de froid, de faim, de dysenterie ou de typhus, mais aussi fusillé, livré aux chiens, roué de coups, brûlé vif dans un hangar arrosé d'essence ou noyé dans les eaux du Boug. Gavril ne sait pas combien de temps les siens ont survécu, ni de quelle malemort ils ont été frappés. Aucun n'est revenu. Il a entendu dire par un de ses cousins rescapé que leurs corps auraient été jetés dans le Boug, du moins celui de sa mère. Les tombes étaient partout, dans la terre, sur la terre, dans l'eau des marais, des rivières, des étangs, dans les cendres des maisons incendiées ou au fond de fosses vite creusées et improvisées crématoires après des fusillades, dans les champs sous les épis, et jusque dans le ventre des chiens errants et des corbeaux qui prélevaient leur part de chair sur les cadavres jonchant le sol.*

*\* Perla*
*La petite sœur, sora mai mica. Elle avait entre quatre et cinq ans.*

*\* Babik*
*Le grand frère, frate mai mare. Il était dans sa neuvième année. Il tenait si mal sa place d'aîné, aurait tellement voulu être le cadet, et même, si possible, rester à jamais un enfant tant le monde des adultes l'effarouchait. Le grand frère, si petit, frate mai mic, un ingénu désarmé, un innocent. Il n'était pas fait pour se battre, résister, pour survivre en temps de guerre, à peine en temps de paix qui n'est d'ailleurs jamais tout à fait tel. Klaus Krantz ne s'y était pas trompé, il avait choisi le second, assez mûr pour le suivre, assez jeune pour être rééduqué et réintégré dans le rang déserté par Tobias. Ce faisant, il lui avait sauvé la vie. Et quand bien même il aurait survécu à la déportation, Gavril aurait assisté à tant de scènes de malheur, d'humiliation, de cruauté*

*qu'il en aurait été marqué à jamais. Marqué, meurtri, il l'a pourtant été, ne pouvait pas ne pas l'être.*

*Sauvé, mais pas indemne. Les scènes qu'il n'avait pas vues le tourmentaient autant que s'il en avait été témoin, et peut-être plus péniblement, du moins autrement, car le fait de ne pas savoir quelle avait été la fin des siens, de ne pas être sûr de ce qu'il était advenu de leurs corps, et d'avoir entendu par ailleurs tant de récits d'atrocités rapportés par des revenants de Transnistrie, avait rendu son imagination fiévreuse, pour toujours en alarme.*

Là, Nathan fait une pause dans son récit. Un des noms qu'il a écrits a soulevé en lui un émoi particulier, comme la première fois qu'il l'a entendu prononcer par Gavril dans l'enregistrement. Il a bien essayé de passer outre et a continué ses annotations, mais au bout de quelques phrases, il s'arrête. Le nom sonne trop intimement en lui. Babik.

Il l'a retrouvé, ce mot qui rôdait à bas bruit dans sa mémoire, vocable incertain qui hésitait entre Bobik Papik Babek ou Bojik, et qu'il prenait tantôt pour un surnom tantôt pour une expression affectueuse.

Babik, le tout petit grand frère qui de fait n'aura pas grandi, comme la fillette Perla. Il avait l'âge de ce garçon quand il a rencontré Gavril, et il était aussi timide, maladroit. Est-ce à cause de cette ressemblance, aussi vague ait-elle pu être, que Gavril s'était intéressé à lui et avait fait preuve à son égard de tant de patience et d'indulgence ? Il se sent à la fois honoré et un peu floué ; n'a-t-il été qu'un pâle ersatz du *fratele* ? Mais une autre question le taraude : dans l'un des entretiens, Gavril dit une chose troublante à propos de Babik : « Babik est mort deux fois. » Cette réflexion est d'autant plus étonnante qu'elle survient hors contexte, entre deux silences, comme si cette mort à répétition n'en finissait pas de lui revenir à l'esprit, en le prenant à chaque fois au dépourvu. Hawa manifeste d'ailleurs sa surprise et l'interroge, mais il ne s'explique pas et passe à autre chose. Nathan ne peut s'empêcher de penser que ce « mort deux fois » fait allusion à lui, que Gavril a cru qu'il était mort dans l'accident – sinon, pourquoi n'a-t-il pas pris de ses nouvelles après être lui-même sorti de l'hôpital, pourquoi n'a-t-il ensuite jamais essayé de le retrouver ? On l'aura trompé, on lui aura asséné le même funeste mensonge que celui dont lui-même a été frappé. Et chacun est devenu pour l'autre un fantôme, un remords, un chagrin.

ON – la même et unique personne, la même et unique bouche fourbe. Mais il doit poursuivre son travail de transcription et de recensement de ses notes, aussi s'efforce-t-il de mettre en sourdine cette conviction, et surtout de contenir la colère formidable qu'elle engendre.

\* *La vie chez Klaus le Steinherr*
*Gavril n'en dit pas grand-chose, juste des allusions. On devine des années lourdes de solitude, de manque des siens, de discipline qu'il devait mal supporter. Et l'ombre portée des morts dans la maison des Krantz, celle de l'épouse et de leurs cinq enfants, celle de Tobias restant la plus brûlante.*

*L'enfant Gavril a grandi dans l'absence, et dans l'attente immense déposée en lui par son grand-père : qu'il prenne le relais, qu'il perpétue le nom des Krantz, qu'il fasse prospérer le domaine, qu'il vive selon les traditions familiales et selon les commandements de la Bible. Qu'il devienne un homme de labeur, de droiture et de devoir, de fidélité à sa terre et à sa lignée paternelle.*

*Mais l'attente a été fracassée, non par le garçon qui n'en a pas eu le temps, c'est l'Histoire une fois encore qui s'en est chargée. Après l'armistice et la fin de l'occupation allemande est venu le tour de l'occupation soviétique. La monarchie est rétablie mais fonctionne avec un gouvernement communiste. Un roi de paille au balcon, d'autres détiennent le pouvoir et l'exercent activement dans son dos. Un arrêt d'expulsion à l'encontre des membres des minorités allemandes du pays est prononcé début janvier 1945. Destination : des camps de travail forcé dans le Donbass, dans l'Oural ou en Sibérie. Gavril ne dit rien à ce sujet, il n'a pas été directement concerné par cet arrêt qui s'appliquait aux hommes âgés de dix-sept à quarante-cinq ans ; lui était trop jeune, Klaus trop vieux. Mais on peut imaginer que la communauté au sein de laquelle il vivait alors a dû, elle, être affectée, et très amoindrie.*

*À peine trois ans plus tard les communistes soufflent sur le roi de paille et l'expédient en exil. La République populaire roumaine est proclamée, et avec elle beaucoup d'autres décrets visant à mettre au pas l'ensemble de la population. Entre autres réformes, celle de l'agriculture. À partir de 1949 est mise en œuvre une politique de collectivisation des terres. Le vieux Krantz n'avait pas le cœur kolkhozien, il n'a pas survécu à l'effondrement de son monde déjà si miné, si rogné.*

*Gavril avait environ quinze ou seize ans à la mort de son grand-père ; difficile de savoir son âge exact ainsi que les conditions de la mort de Klaus Krantz car il ne précise pas. De même il reste assez vague sur les années qui ont suivi. Mais le nom de Bărăgan qu'il mentionne à deux reprises laisse à penser qu'il a été déporté dans cette région située près de la mer Noire, une steppe au climat très dur, brûlant l'été, glacial l'hiver. Il prononce un mot que j'ai mis du temps à distinguer, quelque chose comme « kriveuts ». Il s'agit d'un vent de nord-est très violent qui déclenche des tempêtes de neige et congèle tout sur son passage. Crivăţ.*

*Gavril cumulait plusieurs défauts majeurs : son origine sociale et aussi ethnique côté paternel, pas mieux côté maternel mais pour d'autres raisons, et son tempérament réfractaire à toute autorité, tout embrigadement. Le nombre d'années qu'il aurait passées dans le Bărăgan reste imprécis, mais cela n'a pu avoir lieu que pendant la décennie cinquante.*

*Un détail important : il dit que « là-bas », il a failli mourir. À cause du froid, du vent blizzard. Sa fragilité pulmonaire a certainement commencé là.*

*Autre détail notable : à une question posée par Hawa lui demandant quand et comment il a appris le français – dans son pays ou seulement à son arrivée en France –, il répond que « là-bas » il y avait des gens de toute provenance, géographique et sociale ; des intellectuels, des artistes, des professeurs s'y trouvaient donc aussi. Il a dû apprendre à la sauvette un peu de cette langue étrangère à leur contact.*

*Bucarest*

*Là encore, rien de clair ni de développé, seulement des mentions faites par à-coups, mais si on les recoupe, on entrevoit un nouvel épisode de sa vie. Il a dû s'y rendre dans la seconde moitié ou vers la fin des années cinquante, après sa libération du camp de Bărăgan. La capitale l'attirait – il ne voulait pas revenir dans un village, travailler dans les champs, s'enraciner dans un seul lieu, tout le morne temps passé dans la maison grand-paternelle l'en avait dégoûté. Mais s'il ne partageait pas la passion terrienne du vieux Krantz, il devait à celui-ci une autre passion, celle des livres. Le Steinherr possédait une bibliothèque ; elle n'était certainement pas très fournie, mais aux yeux de l'enfant elle avait dû paraître immense. Il avait découvert là, outre la Bible qui scandait les jours, et la beauté des Psaumes, des recueils de poésie. Goethe, Schiller, Novalis, Heine. C'est auprès d'eux, autant qu'avec son grand-père, qu'il a appris l'allemand ; appris à aimer cette langue, et plus encore la poésie.*

*Remarque : Gavril murmure un vers à deux reprises au cours des entretiens.*

*Wer reitet so spät durch Nacht und Wind ?...*

*Il m'a fallu du temps pour le comprendre, puis en trouver l'origine. C'est le premier vers du* Roi des Aulnes *de Goethe.*

*Qui chevauche si tard dans la nuit et le vent ?...*

*Il le cite bizarrement, comme hors contexte, détaché des propos qu'il est en train de tenir, mais en réécoutant l'enregistrement je me suis rendu compte que le souvenir de cette poésie lui revient après qu'il a parlé de la visite de son grand-père venu le prendre dans sa famille maternelle, et la seconde fois après qu'il a évoqué la disparition de tous les siens. J'ai d'abord pensé que ce roi maléfique était une image de son grand-père. Erlkönig/Steinherr, les voleurs d'enfants. Mais non, le vieux Klaus n'était pas malfaisant, il était un père inconsolé, orphelin de ses enfants, les cinq, et, dressé au milieu, l'unique, Tobias. Inconsolé, comme Gavril l'était des siens, parents, frère et petite sœur.*

*Qui chevauche si tard dans la nuit et le vent ?*
*C'est le père avec son enfant.*
*Il enserre le garçon dans ses bras,*
*Il le tient ferme, il le réchauffe.*

111

*À Bucarest, il a exercé divers métiers, dont celui d'ouvrier typographe. Se rapprocher des mots, par tous les moyens. Les toucher, lettre par lettre, les assembler.*

*Mais il est dangereux de trop aimer les mots et de vouloir en jouer à son gré dans un pays où aucune liberté, aucune fantaisie ne sont tolérées. Non content d'avoir un pedigree calamiteux, Gavril avait des fréquentations suspectes, des lectures délictueuses. Puisque sa déportation dans le Bărăgan n'avait pas suffi à le rééduquer et à bien le dresser idéologiquement, on jugea nécessaire de le corriger à nouveau. Cette fois ce fut le fort de Jilava, aux environs de Bucarest, prison mouroir aux murs suintant d'humidité, au sol en terre battue, où l'on entassait le grand vrac des prisonniers politiques, c'est-à-dire n'importe qui pour n'importe quoi et pour un temps indéfini qui, pour beaucoup, ne prenait fin qu'à leur mort.*

*Note : en me documentant sur le pénitencier de Jilava, j'ai trouvé qui était ce codétenu auquel Gavril avait autrefois fait allusion. Il m'avait parlé d'un homme bon, doué de cette folie douce qui habite certains êtres et les rend étrangement résistants alors qu'ils sont soumis, sans la moindre défense, à des conditions pitoyables. À Jilava, les conditions étaient à l'extrême du pitoyable. C'est cet homme, né dans une famille juive, qui avait reçu le baptême en catimini et au lance-pierre dans sa cellule, un jour de mars 1960. Nicolae Steinhardt.*

*Ce converti, devenu moine orthodoxe après sa libéra-tion, a écrit un ouvrage singulier, à la fois livre de sou-venirs, grande marche littéraire scandée de petits tours de danse intitulés* Boogie Mambo Rag, *témoignage de son expérience concentrationnaire, et testament spiri-tuel. Le titre fait l'effet d'un paradoxe :* Jurnalul Fericirii, *Journal de la Félicité. Ce fol en foi avait un art d'alchimiste, il a transmué le plomb en lumière, tourné l'enfer en dérision et retourné la pesanteur en grâce.*

*Quelques citations de son* Journal :

*– Son baptême précipité :* ... le père Mina bondit, sans enlever son manteau, sur la seule petite chope de la cellule – c'est une petite chope rouge, à l'émail écaillé, crasseuse et repoussante – et il la remplit de l'eau fétide qu'il vient d'apporter dans le « réser-voir » qu'il transporte avec un autre détenu. (...) À toute vitesse – mais avec ce savoir-faire des prêtres que la rapidité n'empêche pas d'articuler distincte-ment – le père Mina prononce les paroles rituelles, me marque du signe de la croix, répand sur ma tête et sur mes épaules tout le contenu de la chope, en réalité une sorte de verseuse à l'anse cassée, et me

baptise au nom du Père et du Fils et du Saint-Esprit. Je renais par la grâce d'une eau fétide et d'un esprit rapide.

– *La poésie :* Dès le premier jour je constate dans toute la cellule une soif extraordinaire de poésie. Apprendre par cœur des poèmes, c'est une des distractions les plus agréables et les plus constantes dans la vie de prison. Heureux ceux qui savent par cœur des poèmes.

– *La joie, le festin :* Dans un festin, et dans un festin seulement, l'homme se réjouit de la joie de l'autre, je dirais même plus : il a besoin de cette joie. Le festin est d'autant plus beau et d'autant plus réussi que tous ceux qui y participent sont plus joyeux. Le festin est peut-être – paradoxalement – le seul lieu où la joie de l'autre ne suscite pas l'envie. Et où il n'existe aucune concurrence, aucun numerus clausus ; plus on est de fous, plus on rit : le nombre accru des convives, loin d'être un obstacle, un danger, multiplie la joie de chacun et de tous. S'il en est ainsi, alors le festin ressemble beaucoup au paradis...

*Gavril n'a pas assisté à ce baptême impromptu, il n'était pas dans la même cellule que Steinhardt, et leurs périodes d'emprisonnement ne se recoupent peut-être pas entièrement. Mais il a rencontré cet homme, a partagé avec lui la conviction que la poésie est aux*

114

*prisonniers aussi vitale que l'air, l'eau, la lumière et le pain. Et de cet homme il a reçu la pensée, ou la confirmation, de sa propre intuition : que le festin est le lieu de la joie. Voilà d'où vient son « coup de paradis », un échappé des Évangiles et du bagne à la fois, et affranchi des deux. Gavril n'était peut-être pas athée, mais areligieux certainement, il ne se réclamait d'aucune Église, d'aucun dogme, ne les condamnait pas pour autant ; il n'en parlait simplement pas. Mais il lui plaisait de porter un nom archangélique, celui d'un grand messager céleste dont l'attribut est une trompette, et qui veille sur tous les messagers, dont, par excellence, les écrivains et les poètes.*

*Gavril, version populaire de Gabriel. Un archange mi-paysan mi-boyash, aux mains et pieds rugueux, à la gueule tannée. Un archange issu d'une double lignée, une de laboureurs et d'éleveurs, une de confectionneurs d'ustensiles en bois, de machines à filer, de roues et de timons de charrue, après avoir été esclaves dans des mines d'or. Un archange entravé, asservi, humilié et souvent violenté. Mais jamais soumis et jamais résigné ; aussi déchirées, déboîtées aient pu être ses ailes, il lui restait ses bras, puissants face aux vents, ses jambes, bien plantées sur la terre, son regard pour scruter le proche et l'horizon, sa pensée pour réfléchir le monde.*

*Virgil, Marian, Dumitru, Razvan, Viorel, Radu…* Ces prénoms passent dans les propos de Gavril sans qu'il soit toujours possible de comprendre de qui il s'agit : un camarade de jeunesse, un collègue du temps où il travaillait à Bucarest, un codétenu, un des prisonniers professeurs qui enseignaient en catimini, ou un gardien, voire l'un des tortionnaires sévissant dans les prisons où il a été enfermé ?

Note : l'un se démarque de la liste, un certain Viorel. Il cite son nom à plusieurs reprises, et l'on devine à son intonation toute l'affection et tout le respect qu'il lui portait. Un de ses « maîtres » de l'ombre, certainement.

La Bible lue en allemand, la bibliothèque grandpaternelle, les « cours » reçus au camp de Bărăgan, sa fréquentation de dissidents quand il vivait à Bucarest, les « conférences » clandestines à Jilava et, en amont, le chant resté puissant de son « école maternelle » parmi les siens – parents, fratrie, parentèle large et soudée du clan boyash. Tels ont été les collèges et les universités de Gavril.

Gavril Krantz : un diplômé d'écoles aléatoires, d'universités aussi informelles qu'éphémères ; un lettré de bric et de broc, de chair et de sang, un puits d'étincelles.

*Rodica, Flavia, Cătălina, Ilinca…*
*Pareillement, ces prénoms féminins ne désignent que des ombres fugaces; difficile de savoir quelle importance elles ont eue dans sa vie, et si oui, à quelle époque. Des amies, des amantes?*

*Note : je me souviens qu'enfant, je lui ai un jour demandé s'il était marié, il avait répondu qu'il l'avait été plusieurs fois mais jamais officiellement. Plus tard, il avait ajouté en riant qu'il était un monogame à répétition, mais forcé plusieurs fois de rester célibataire pour cause de détention – de lui-même ou de la femme, ou bien des deux –, ou encore de vagabondage.*

*Paris*
*Gavril ne dit pas quand et comment il est arrivé en France, ni s'il a transité par d'autres villes avant de se fixer à Paris. «Se fixer» n'est d'ailleurs pas un verbe qui lui convient. Il est probable qu'il a quitté son pays dans la seconde partie des années soixante. Mais sur sa vie à Paris, Hawa ne l'a pas interrogé, ni sur un éventuel désir de retour dans son pays après 1989, du moins cela ne figure pas dans les enregistrements.*
*Hawa avait prévenu : elle a donné la priorité à l'«avant», aux années fantômes qui ont précédé l'exil.*

117

*Ce sont les ombres et les cryptes du passé des émigrés qui l'intéressent. Elle comptait aborder ensuite le chapitre parisien, mais elle n'en a pas eu le temps, Gavril lui a fait faux bond ; il a fui.*

*Il a fui :*

*— chassé de son lit d'hôpital par la peur d'y rester cloué ?*

*— expulsé du présent par la perspective imminente d'un avenir réduit à un « désormais » suffocant ?*

*— tout autant expulsé du présent par le retour en force du passé ?*

*— exclu du temps, du mouvement, de la joie de tout festin ; ses amis disparus, la poésie en voie de relégation dans l'insignifiance…*

*— banni hors de lui-même pour avoir trop parlé ?*

*— appelé par les siens dont il était depuis trop longtemps séparé ?*

*— rappelé par ses amours d'enfance ? Tobias et Stella, Babik et Perla…*

*Mon père, mon père, voilà qu'il me saisit !*
*Le Roi des Aulnes m'a fait mal !*

*La rumeur du Boug est montée, a grossi, jusqu'à affluer dans la Seine.*

*Gavril ne s'est pas jeté dans la Seine, mais dans les eaux du Boug.*

Là s'arrête le récit de Nathan.

# 8

*La vie néante*

Les deux dernières phrases lui sont venues par surprise, calmes, assurées, d'un bloc. Une froide évidence qui s'impose à lui et le réduit au silence.

*La rumeur du Boug est montée, a grossi, jusqu'à affluer dans la Seine.*
*Gavril ne s'est pas jeté dans la Seine, mais dans les eaux du Boug.*

Il voudrait continuer, mais il ne le peut pas. Non parce qu'il n'a plus de matière à exploiter – il a certes sondé, exploré, extirpé et gratté, trituré et pressé tout ce qu'il pouvait de l'enregistrement, depuis maintenant près de quatre mois, mais il lui reste encore beaucoup à découvrir de l'histoire de la Roumanie pendant et après la Seconde Guerre mondiale, beaucoup de livres à lire d'auteurs qu'aimait Gavril, qui l'avaient marqué, et aussi d'écrivains, de poètes qui furent ses compatriotes et contemporains, comme lui exilés à Paris et dont Nathan n'a encore relevé que les noms et une poignée de données biographiques trouvés au fil de ses recherches. L'impossibilité vient d'ailleurs. De nulle part, en fait.

D'un coup il se sent vide. Vide d'écriture, de récit, vide de curiosité. L'excitation qui l'a porté tout au long de son travail d'écoute puis de transcription est retombée. Peut-être s'est-il trop dispersé dans ses recherches et a-t-il ajouté trop de considérations annexes et de supputations hasardeuses à sa transcription – qui, de fait, n'en est pas une. Plutôt une translittération des propos épars et inachevés de Gavril dans ses mots à lui, Nathan, une translation du corps du disparu dans son corps de vivant. Et le mort a saisi le vif, le laissant stupéfait, en suspens dans le vide.

Et dans ce vide s'opère un brusque mouvement de ressac. Son propre passé fait retour, massif, brutal dans le défilé des jours, des mois, des ans, sous un éclairage fixe. Des années d'une navrante nullité. Sa vie jusqu'à ce jour, sa vie depuis le tout début, placée sous le signe de l'insipidité – goût de poussière dans la gorge. Une seule parenthèse : les années Gavril. Si peu, une huitaine d'années, mais si rayonnantes.

Avant Gavril, l'ennui, le dénuement du cœur et de l'esprit, l'attente aussi folle que floue d'une intrusion de désordre, de douceur et de force dans sa vie étale. Avec Gavril, l'éveil, l'étonnement et des éclairs d'émerveillement, le goût de l'imprévu, l'insouciance et la joie. Après Gavril, le dégoût, le rabougrissement du cœur et de l'esprit, et plus la moindre attente. Il s'est cru si longtemps fautif de la mort de cet homme, par imprudence, par inconscience. Et ce méfait n'était que la confirmation d'une faute primitive – d'être né sans s'annoncer, hors désir. D'être né, tout simplement.

Mais c'est quoi, cette histoire ? se demande-t-il soudain en pressant ses poings contre ses tempes, bras accoudés à son bureau. Il ferme les yeux, serre ses paupières autant que ses poings. Il cherche à revenir à l'accident, à se remémorer la scène, et la suite. Mais il n'arrache que quelques lambeaux d'images ; la moto filant sur la route, lui au guidon, Gavril assis à l'arrière, les mains agrippées aux poignées de maintien. Le paysage qui se dévide à toute allure comme un immense rouleau de peinture, les arbres qui semblent courir, parfois bondir presque, les pylônes métalliques à l'alignement fauchés un à un par le regard qui rase tout sur son passage, l'impression de coulisser sur l'air, de caresser l'espace, de se transformer en flèche lancée dans la clarté gris bleuté virant au jaune rosé du matin en train de poindre. Car c'était le petit matin, ils étaient partis très tôt, avant que n'affluent les voitures et surtout que le jour ne soit trop avancé. La route sur laquelle ils roulaient était encore déserte à cette heure, il faisait beau, la chaussée n'était pas glissante, le tracé rectiligne, à peine modulé de quelques courbes. Ils fonçaient droit vers le soleil. *Soleil Soleil... La nuit s'éloigne... Et tu bois cet alcool brûlant comme ta vie... Adieu Adieu... ta vie que tu bois comme une eau-de-vie... Soleil Soleil cou coupé...*

*C'est toujours près de toi cette image qui passe :* Soleil gros cou rond cou couronne d'or blême dont les lueurs à un tournant l'aveuglent.

C'est toujours cette image qui passe en sifflant dans ses yeux, lui éclate la vue, la mémoire, la pensée. Il a perdu le contrôle de sa machine, quitté la route, heurté un talus ; double envol du pilote et du passager, double chute des corps. Silence, noir fossile, immobilité totale.

Il a beau se concentrer, fouiller dans sa mémoire, il ne parvient pas à ranimer d'autres souvenirs, il bute contre cette ultime image : un soleil-billot de lumière froide, éblouissante. Son coma a duré près de trois mois, au réveil il ressemblait au *Lazare affolé par le jour*. Et bientôt c'est à Judas effaré par sa lamentable traîtrise qu'il a ressemblé, quand on lui a dit que son passager était mort, mort par sa faute, mort sur le coup, et depuis longtemps incinéré, dispersé on ne savait où. Alors Nathan avait renoncé à toute velléité d'émancipation, de hardiesse et d'ivresse, renoncé à boire la vie comme un alcool brûlant, à s'enivrer de livres, de poèmes, de rêves, à échafauder mille projets fantasques. Il est rentré dans le rang, il a besogneusement passé son bac puis poursuivi des études de commerce dans une filière courte, et sa vie, il l'a sirotée ainsi qu'une infusion tiède.

Il recule sa chaise, se détourne de son bureau, regarde autour de lui ; une pièce spacieuse, comme le sont toutes celles de son appartement. Dans chacune, des meubles fonctionnels, une décoration sobre mais convenue, à son image. Sur les rayonnages de la bibliothèque, des livres qu'il est de bon ton d'avoir chez soi, mais qu'il n'a, pour la plupart, pas lus. Il y a longtemps qu'il a perdu l'amour des mots, des récits, des poèmes ; la lecture d'articles, de flashs d'information et à l'occasion de quelque roman médiocre ne nécessitant aucun travail d'attention et de réflexion lui suffit. Aux murs, des reproductions de tableaux contemporains et d'affiches de cinéma qu'il est chic d'exposer, mais sur lesquelles son regard n'a jamais fait que glisser.

Glisser, à fleur du temps, des choses, des autres, de lui-même ; glisser, être lisse, bien coulé dans les normes de l'époque, conformiste mais sans en avoir l'air ; ni surtout en prendre conscience. Obtempérer à l'air du temps, ne pas se faire remarquer plus que nécessaire. Toute cette inconsistance lui saute aux yeux, le prend à la gorge.

Qu'a-t-il fait de sa vie ? De l'argent. Beaucoup d'argent gagné en effectuant diverses affaires parfois douteuses et souvent profitables, sans états d'âme mais avec assez d'habileté pour ne jamais être inquiété et préserver une bonne réputation.

Qu'a-t-il fait de son argent ? De l'argent, encore et davantage. Des placements pour le faire fructifier, des investissements dans l'immobilier locatif. Il mène un train de vie aisé, il a blindé sa vie contre la précarité, ses lendemains sont garantis tout confort et toute quiétude.

Qu'a-t-il fait de cette tranquillité ? Une médiocrité apaisante, protectrice. Mais cette protection se révèle n'avoir été qu'un fin glacis doré qui subitement se fissure. Pas si subitement en fait, le craquelage a toujours menacé, sinon il n'aurait pas eu besoin de retoucher, de repolir sans cesse ce vernis. Cette fois, le processus se précipite, il ne s'agit plus de discrets fendillements mais d'un fracassement sous l'effet d'une éruption de vide qui pulvérise leurres et mensonges. Effusion de fadeur ; Nathan est saisi d'un vertige, sa vue se brouille, sa gorge est sèche, sa langue se colle à son palais. Il se lève, se dirige en chancelant vers un mur, s'y adosse, il reprend sa respiration et lentement s'affaisse jusqu'à se trouver accroupi. Il reste un moment dans cette position, balançant par instants la tête d'avant en arrière, sa capacité à se concentrer, à réfléchir et à se remémorer se remet en fonction. Il grimace un sourire – qu'aurait-il à raconter à une Hawa Gwezhennec-Yazarov qui aurait l'idée saugrenue de venir l'interroger dans sa vieillesse ? Qu'il a dévitalisé sa vie pour la rendre indolore, qu'il s'est contenté de réaliser de bonnes affaires, sans scrupules mais sans passion particulière, afin d'y parvenir. Qu'il n'a pas connu d'histoires d'amour, uniquement des aventures sexuelles plus ou moins plaisantes mais sans lendemain. Qu'il n'a bien sûr pas eu d'enfant, car pas voulu en avoir, à aucun prix. Qu'il n'a pas pratiqué l'art de l'amitié, seulement eu des copineries sans épaisseur, ne réclamant aucun effort, aucun engagement. Qu'il est resté apathique politiquement, indifférent aux problèmes de ses contemporains, sans révolte et sans idéal. Qu'il est resté végétatif sur le plan intellectuel, sans curiosité, juste un consommateur de divertissements. Une vie à l'étouffée, pourtant enviée par beaucoup, leurrés par sa réussite, son bien-être matériel, son bel équilibre apparent. Son sourire se raidit, fige ses traits dans une expression de douleur et de rage. Il se relève, le dos toujours collé au mur, les yeux plissés, la respiration sifflante ; un feulement.

C'en est fini de cette vie telle qu'il l'a menée jusqu'à présent, il va tout plaquer, son travail, ses occupations de remplissage, ses fréquentations insignifiantes, il va repartir de zéro. Mais ce zéro est un gouffre du fond duquel surgit un sentiment à l'état cru. La haine. Pour lui-même, et pour la personne qui l'a fait devenir ce qu'il est. Les deux se confondent, lui et elle forment une chimère foireuse et détestable.

Il déchire la chimère, il s'arrache à l'emprise de l'autre composante. Sa haine bascule, elle se concentre et se fixe sur la part rejetée, celle à la bouche fourbe, à la langue bifide qui a froidement asséné deux mensonges en miroir, tranchant à vif une amitié et endeuillant deux vies. Toute la colère qu'il avait réussi à contenir entre en débâcle, il en tremble. Il ne veut pas davantage laisser cette haine le posséder qu'il ne veut poursuivre son mode d'existence actuel. Il ne veut rien, rien, juste s'en aller en s'allégeant de tout. Mais on ne décide pas si aisément de se délester d'une haine qui a longtemps couvé dans l'ombre et qui vous prend d'assaut à l'improviste, elle est puissante d'avoir incubé pendant des décennies. Quand vient son heure, elle explose et envahit tout l'espace intérieur, elle ne se laisse pas déloger, elle prend racines.

Il recompose le numéro de téléphone qu'il s'était pourtant juré de ne plus faire. Personne ne décroche, et c'est dans le répondeur qu'il déverse sa colère et son ressentiment. Cette fois, il notifie sa décision de rompre à jamais tout contact.

Dès le lendemain il met en vente son appartement et sa voiture et entreprend aussitôt le bazardage de toutes ses affaires, meubles, vaisselle et bibelots, cadres et miroirs, tapis et tous tissus d'ameublement, la presque totalité de sa garde-robe, pareillement de sa bibliothèque dont il ne sauvegarde que quelques livres. Ceux d'auteurs dont Gavril lui avait parlé, cité des passages, et qu'il a conservés ainsi que des talismans, mais sans plus les ouvrir. Le tout trouve rapidement des acquéreurs. Il expédie aussi une lettre de démission en recommandé à la direction du groupe d'agences immobilières pour lequel il travaillait.

Et tandis que le jour il procède méthodiquement à la liquidation de ses biens, la nuit il se livre à un grand remue-ménage onirique, comme si chaque chose dont il se séparait lançait des petits signaux affolés et saugrenus avant de disparaître. Des meubles, des bibelots se distordent, entrent en mouvement, se transforment en d'autres objets, émettent des sons, des fulgurations de couleurs, improvisant des saynètes absurdes. Ainsi il voit une casserole filer à l'oblique à travers une pièce qu'il ne reconnaît pas, elle s'arrête en plein vide, plane comme un oiseau faisant du surplace, soudain elle se retourne et déverse un salmigondis de lettres et de chiffres qui éclatent avec un petit bruit sec avant d'atteindre le sol. Ou le bonsaï érable du Japon qui trônait sur son bureau dans un pot en céramique prend volume et hauteur jusqu'à frôler les murs, le plafond, il agite ses branches, fait trembler ses feuilles qui se détachent toutes ensemble et se dispersent dans un grand éclat de rire. Dans son sommeil, Nathan reconnaît le rire de Gavril. Ou bien il voit une femme entrer par la fenêtre, elle est nue, elle marche en apesanteur, elle tourne la tête à droite, à gauche, comme pour inspecter l'espace où elle avance d'un pas lent ; il ne distingue pas ses traits, ni même la couleur de ses cheveux, il remarque juste celle de sa toison pubienne, d'un bleu d'azur très pâle et lumineux qui se met à foncer, passant du bleu lavande au turquoise puis au gris ardoise. Le corps de la femme soudain rétrécit, il fond, s'efface, ne subsiste bientôt plus que le triangle sexuel dont le bleu ne cesse de se modifier, à la façon de ces balises solaires parées d'un papillon, d'un colibri, d'une fleur ou d'une libellule en verre qui, à la nuit tombée, déploient à vive allure un nuancier de couleurs fluorescentes. Le scintillement s'arrête et le triangle, vert pistache, entre en rotation en émettant un sifflement aigu qui vire au grincement de craie sur un tableau. Ou encore une aiguille en acier pourvue d'un très long fil grenat s'active seule sur l'un des posters qui décoraient les murs de son salon, elle reprise avec autant de minutie que de maladresse le visage de Jeanne Moreau dessiné par Gilbert Allard pour l'affiche du film *Les Amants* de Louis Malle. Elle coud à grands points louvoyants le visage de l'actrice à la main de l'homme dans laquelle elle a posé sa joue, et ce faisant, l'aiguille zigzagante perce la bouche, la pommette, la paupière de la femme, puis elle entreprend de lui broder le front d'arabesques qui s'envolent à mesure sous forme de volutes de fumée.

Le rêveur entend les craquements de la peau, de l'os à chaque enfoncement de l'aiguille, cela crisse et craquette dans ses propres tempes ; le visage cousu et perforé reste impassible, Nathan, lui, grimace dans son sommeil et s'agite dans son lit, son rêve se brouille comme la bobine d'un film prise de tressautements, puis reprend, semblable et différent. Un visage, à nouveau, mais c'est celui d'une toute petite fille, ses yeux sont fermés, elle sourit imperceptiblement au creux de la paume où elle appuie sa joue. La main est large, puissante, elle contient toute la tête de l'enfant et la berce doucement. La fillette ouvre les yeux, ils ont le jaune chatoyant des renoncules, mais ses pupilles se dilatent et recouvrent peu à peu le doré de l'iris dont il ne reste bientôt plus qu'un mince cercle. Deux petits soleils saisis par une éclipse. Noir intense des prunelles, jaune étincelant de la fine couronne solaire. L'enfant ne dit rien, son nom ne s'écrit pas dans l'image, cependant Nathan l'entend, ce nom, il le lit dans le noir cerclé d'or de la prunelle en expansion. Perla. Il la reconnaît sans l'avoir jamais vue, pas même en photo, sans connaître le moindre détail de son apparence. Perla, la petite sœur. Son sourire tremble légèrement, mais elle ne desserre pas les lèvres. Le noir glacé des pupilles a beau continuer à s'épandre, il ne parvient pas à recouvrir complètement l'iris jaune qui lance des filaments sinueux, étincelants, sur tout le pourtour du disque de pénombre. Des ondes, des signes ténus, presque rien, mais irréductibles, vivaces.

Le dernier soir qu'il passe dans son logement, campant dans le salon désert, assis sur un sac de couchage à côté de deux bagages où il a entassé les quelques effets qui lui sont nécessaires, il lit l'intégralité du cahier où il a rédigé ses notes. Il les lit à voix haute, bien timbrée et rythmée, un peu sourde, devant un dictaphone. Sa voix prend une étrange résonance dans le vide de la pièce. C'est pour Hawa qu'il enregistre ce texte, et il y ajoute des informations qui ne figurent pas dans ses notes – un résumé des circonstances de l'accident, qu'il avait qualifié d'« incident » sans importance lors de leur dernière rencontre pour évacuer au plus vite un sujet qu'il avait eu la maladresse de soulever. À présent, il peut en parler, il le faut. Il énumère les faits dans l'ordre chronologique, d'un ton neutre. Il rappelle le vieux rêve de Gavril de rouler un jour à moto, et comment il s'était débrouillé pour lui proposer un grand tour sur une Honda 125 qu'il avait empruntée pour l'occasion, sans avertir le propriétaire de la cylindrée qui assurément aurait refusé, Nathan n'ayant à l'époque que dix-sept ans et pas de permis ; mais il savait la conduire, cela suffisait, et il n'avait pas évalué son manque de maîtrise du véhicule. Il tenait tant à faire cette surprise à Gavril, à lui offrir une joie en retour de toutes celles qu'il lui avait données. C'était une sorte de petit « coup de paradis », réduit à deux, certes, mais ouvert en grand à la vitesse, à l'espace, terre et ciel, à la lumière et au vent du matin. L'euphorie avait duré moins d'une heure. Ensuite, après le coup d'enfer puis un séjour de trois mois dans les limbes suivi de plusieurs semaines de rééducation, il était entré dans un purgatoire pour une durée indéfinie. Il vient tout juste d'en sortir, de revenir sur terre, de reprendre contact avec le temps et goût à la vie.

Il lui dit qu'il s'en va, sans préciser où, faute de le savoir. Partir lui suffit.

Il la remercie pour son aide, son art du patchwork inspiré par ses origines mêlées et qu'elle applique aux autres afin de rassembler les morceaux de leurs vies disloquées, de les ajuster au mieux pour les rendre lisibles, sensés. L'au revoir qu'il formule est si vague qu'il ressemble à un adieu. Il emballe le dictaphone dans un paquet qu'il adresse à l'hôpital où travaille Hawa et le dépose le lendemain matin à la poste après avoir quitté son appartement qui ne lui appartient plus.

Sur la façade de l'immeuble, il pourrait apposer une plaque signalant : « Ici a végété un ectoplasme humain de 1994 à 2016. »

# 9

*Février 2016-juin 2018*

Pendant quelques semaines, en février et en mars, on pouvait croiser chaque matin dans le cimetière de Thiais un curieux personnage. Il arrivait dès l'ouverture des portes, quel que soit le temps qui pourtant était fort à la pluie, au grésil et au brouillard cet hiver-là. Sa tenue rappelait moitié celle d'un Pierrot moitié celle d'un Pulcinella ; comme le premier, il était vêtu d'une blouse ample et d'un pantalon flottant de couleur blanche, comme le second il portait un masque vénitien, un long nez noir busqué, et était coiffé d'un bonnet conique. Mais il n'avait pas l'air lunaire, et n'avait ni bosse ni panse. Il évoquait plutôt un échassier, du genre héron ou grande aigrette, bizarrement affublé d'un bec de corbeau. Sa silhouette disparaissait parfois dans la brume.

Il marchait à pas lents dans les allées du carré des indigents, tournant la tête à droite, à gauche, s'arrêtant régulièrement pour se pencher vers une dalle et jouer tout contre celle-ci de l'étrange instrument qu'il tenait dans ses mains, une sorte de didjeridoo en plastique gris dont il sortait des sons à peine audibles, il fallait s'approcher très près de lui pour distinguer quelque chose, et ce n'était pas de la musique que l'on percevait alors, mais un chuchotis de mots. Dans le froid, ces mots floconnaient, ils faisaient fondre légèrement le givre qui recouvrait les dalles. La gelée blanche se reformait presque aussitôt, effaçant l'écriture du souffle.

Au début du printemps, il a cessé de venir. À croire qu'il n'avait été qu'un effet d'optique lié aux crachins et aux brouillards givrants qui avaient sévi pendant l'hiver. Mais il a réapparu ailleurs, sur les quais de la Seine, et sur les ponts. Tantôt au bord de l'eau, tantôt au-dessus. Et toujours jouant de son instrument à vent confectionné avec des tuyaux en plastique emboîtés les uns aux autres. Il soufflait des mots, des phrases, à fleur d'eau et de silence, ou dans le vide, penché par-dessus le parapet. Puis à nouveau il a disparu. Il semble qu'il ait poursuivi sa route tout le long du fleuve jusqu'à son embouchure. Au cours de l'été, on l'aurait vu au Havre, et là, après quelques semaines, il est une fois encore sorti du paysage. A-t-il pris un ferry, un bateau de croisière, ou s'est-il embarqué à bord d'un cargo pour une destination lointaine ?

Son absence aura duré plus de deux ans, on l'a revu dans les rues de Paris pendant l'été 2018. Il n'y a aucune régularité dans ses apparitions. À présent il ne murmure plus ses mots de brume à des dalles funéraires ou à l'eau de la Seine, il les chuchote aux oreilles des passants, et bizarrement aussi à des façades, levant son instrument vers les plaques commémoratives qui y sont apposées. Mais peut-être ne s'agit-il pas de la même personne. Les souffleurs et les chuchoteurs poétiques sont devenus plus nombreux dans les rues de la ville. Cependant, les autres interviennent généralement en petits groupes et ils ont un programme, celui-là est toujours seul, toujours masqué et coiffé d'un chapeau. Son habillement s'est modifié, il est plus proche de celui d'un artiste de cabaret que d'un personnage de la commedia dell'arte. Il improvise constamment et s'adresse aussi bien aux gens qu'aux arbres et aux oiseaux, aux murs et aux statues. Il peut diriger son tuyau à soupirs, à poèmes ou à divers bruitages vers les pigeons qui se dandinent sur les trottoirs ou bien sommeillent sur des linteaux de fenêtre. Il leur donne une becquée de sons. Si un moineau vient se poser sur son instrument, il ne bouge plus, il laisse l'étourdi qui se croit perché sur une gouttière faire sa pause ou sautiller selon son humeur frétillante. Il est probable qu'il lui susurre alors de discrets gazouillis de gouttes d'eau et des pépiements d'ombre bleue sous les pattes. On l'aurait même surpris à distiller des chuchotements entre les barreaux d'un soupirail, et aussi dans l'entrebâillement d'un couvercle de poubelle. Pour ce long bec sonore, tout est oreille, tout est chambre d'écho.

Pour ce drôle d'échassier les mots sont des grains de grenade qui éclatent à la moindre pression, pleins d'un jus couleur de sang et pourtant translucide, au goût à la fois sucré et légèrement acide. Ces grains âcres-doux sont tout autant de vie que de mort, et ils sont destinés aussi bien aux vivants qu'aux défunts. Mais peu le savent ; les saints, les suppliants, et les poètes. Les jeunes enfants et les amants aussi, mais les premiers perdent tôt cette connaissance, les seconds ne l'ont que par brèves intuitions et sont vite oublieux. Odeur du temps saveur du monde odeur d'oubli grains de grenade.

# II

« tu viens à l'être. tu n'es pas :
tu le sais et je te rassemble dans l'étendue
de tout ce qui se déploie pour moi
comme une nappe sur une table… »

Sorin Marculescu

# 10

*Mars 2016-mai 2017*

Le soleil se lève si paresseusement depuis quelques jours que les heures se ressemblent toutes, elles baignent dans une clarté crayeuse qui vire au gris poussière en fin d'après-midi puis fonce jusqu'à l'anthracite. Matins livides, midis blêmes, soirs grisâtres, nuits cendreuses. Pas de couleur franche, le soleil est avare de lumière, le ciel chagrin, la ville terne. Et la vie est mesquine. L'humeur d'Elda est au diapason de cette fadeur ; non par réaction au manque de luminosité, mais par nature. C'est le temps, plutôt, qui est accordé à sa morosité étale. Elle n'a pas été toujours ainsi, mais cet état dure depuis tant d'années qu'il lui est devenu une seconde nature, aussi étrangère soit celle-ci à son tempérament premier.

Accoudée à la table de la cuisine, elle est en train de

lire un article sur les suricates du Botswana quand sonne le carillon de l'entrée. C'est une sonnerie à bruit de cloche d'église de campagne, émettant des séries de trois coups rapprochés, clairs et vifs. Elda sursaute, tourne la tête vers l'horloge murale accrochée au-dessus du réfrigérateur. Le cadran indique midi moins vingt. Qui peut venir à cette heure ? Elle n'attend personne, et elle n'a remarqué aucune affichette dans le hall prévenant du passage d'un agent d'un quelconque service public. Sur la table traînent le magazine, du courrier administratif, un cendrier, sa tasse de café vide et les reliefs de son petit déjeuner, et elle-même est encore en peignoir, pieds nus, les cheveux pas coiffés. Le carillon relance sa giboulée de tintements. Elle remue un peu sur sa chaise, mais ne se lève pas. Son regard se pose sur une photo pleine page d'une tribu de suricates d'âges et de tailles différents, tous dressés bien droits sur leurs pattes arrière, un drôle de petit sourire au museau, et leurs yeux ronds et noirs comme des baies de sureau, agrandis par de larges cernes sombres, semblent la fixer en silence. Leur vue est extraordinairement perçante, vient-elle juste de lire. La regardent-ils vraiment ? Il y en a un minuscule, là, blotti entre les pattes de sa mère, elle le découvre seulement. Et ces deux-là, élancés, qui exhibent en toute candeur leurs organes génitaux. Le carillon sonne à nouveau, cette fois en rafale, le visiteur doit commencer à s'énerver et il appuie en continu sur le bouton. Elda se lève enfin, ouvre à contrecœur. Elle ne voit pas le visage ni même le buste de la personne plantée sur son seuil, l'énorme bouquet qu'il porte les lui cache.

– Madame Lorrol ? demande la voix.

– Oui. C'est à quel sujet ?

– Des fleurs. C'est pour vous. Et il lui flanque le bouquet dans les bras.

– Ce doit être une erreur.

– Vous êtes bien madame Lorrol ?

– Oui, mais…

– Alors c'est pour vous. C'est ce qui est indiqué sur ma fiche de livraison, à cette adresse. Même l'étage est précisé.

– Mais qui les envoie ?

– Ah ça, j'en sais rien. Je suis le livreur, pas l'expéditeur. Il y a sûrement un mot à l'intérieur. Elles sont rudement belles, en tout cas. C'est ça qui compte. Pas vrai ?

Le gars est jeune, souriant ; il tarde à s'en aller, il espère un pourboire.

Elda s'empresse d'aller chercher son porte-monnaie dans la cuisine, elle pose le bouquet sur la gazinière, faute de place, et fait tomber une casserole en attente de vaisselle. La casserole rebondit sur le sol, un fond de soupe au pistou éclabousse le carrelage et les pieds d'Elda. Des coquillettes et un haricot rouge un peu huileux se collent sur ses orteils. Elle file donner quelques pièces au livreur, honteuse de son aspect négligé. Sitôt rentrée, elle porte le bouquet dans le salon et s'installe sur le canapé pour ôter l'emballage. Une petite carte est épinglée au milieu des torsades de bolduc rouge grenat, assorti aux tons dominants de la gerbe. Ce bout de carton n'indique que les coordonnées du magasin et le nom de la composition florale : Vésuve. Aucun autre mot ; elle déplie la grande feuille de papier cristal et celle de soie, les inspecte, puis fouille dans le feuillage, entre les tiges, mais ne découvre rien. Ce Vésuve fait irruption chez elle incognito. Il est somptueux avec son assemblage d'oiseaux de paradis, de branches de houx, de tulipes incarnates aux pétales dentelés, de roses pourpres et d'anthuriums rubis. Il est aussi blessant, hérissé de feuilles piquantes et d'épines, et difficile à disposer dans un vase ; d'autant plus qu'elle n'en a pas de grande dimension. Elle opte pour le vieux seau à champagne en inox cabossé qui lui sert de fourre-tout.

Assise sur son canapé, elle considère le Vésuve floral avec perplexité.

Certes, il est imposant, d'une élégante sauvagerie, rutilant de rouge et de vert, mais il n'a rien à faire chez elle. Elle est sûre qu'il y a eu une erreur. Elle a beau chercher quelle personne parmi ses connaissances serait susceptible d'être l'expéditrice, elle n'en trouve aucune. Un de ses anciens amants soudain saisi de nostalgie ? Elle en doute. Elle passe en revue ceux qu'elle a eus au cours des dernières années, elle remonte peu à peu dans le temps, mais aucun ne lui semble plausible. Serge est mort depuis longtemps, Diego a quitté la France pour rentrer dans son pays quand il a estimé que celui-ci ne présentait plus de danger pour sa sécurité, François, avec lequel sa relation avait duré près d'une décennie, y a mis fin du jour au lendemain, avec une froideur et une désinvolture de parfait goujat. Les noms de quelques autres lui reviennent, mais il s'agissait d'histoires passagères. Alors, un admirateur anonyme, un amoureux clandestin qu'elle n'aurait pas repéré ? Elle en doute encore plus.

Vésuve ! Soudain elle se rappelle que la dernière éruption de ce volcan date de mars 1944, mois et année du mariage de ses parents, et ce court-circuit lui donne un sursaut de rire sec. Ils étaient fiers de ce rapprochement, les deux andouilles, comme s'il y avait eu le moindre lien entre les deux événements ; assurément ni les jets de flammes ni les coulées de lave n'avaient embrasé le cœur des mariés, et encore moins illuminé leur esprit, seules la cendre et la suie les avaient recouverts, encroûtés, mis à l'étouffée toute leur vie durant. Se pourrait-il qu'ils lui envoient un bouquet posthume en ce début de mars, pour se rappeler à son bon souvenir ? D'eux, elle n'a que des mauvais souvenirs, du moins dénués de joie, d'affection. Elle allume une cigarette et retourne dans la cuisine.

Après tout, qu'importe s'il y a eu méprise, ce Vésuve apporte une flambée de couleurs dans la grisaille du jour. Elle prend plusieurs photos du bouquet avec son smartphone, dans son ensemble et aussi fleur par fleur, surtout les roses, si charnues, d'un rouge intense et velouté, les branches de houx et les tulipes crénelées. Souvenirs d'une agréable méprise. La semaine suivante, les fleurs s'étant fanées, elle les jette à la poubelle, et elle oublie l'incident.

Une quinzaine de jours plus tard survient le même scénario. On sonne à sa porte, un livreur lui remet un bouquet dont la provenance est aussi inconnue que celle du premier. Seuls diffèrent l'enseigne du magasin et les coloris des fleurs ; aucune unité, un grand fouillis de tons, d'espèces, comme si le fleuriste avait grappillé dans tous les vases de sa boutique pour composer vite fait une grosse touffe florale qui n'est ni belle ni laide, juste insolite. Elle n'est agrémentée d'aucune appellation. Elda se dit que Méli-mélo, N'importe-quoi, Bric-à-brac ou Foutoir pourrait fort bien convenir à ce fatras. Elle se demande si cette négligence est le fait du commerçant, ou si elle répond à une demande précise de la personne qui a passé la commande. Quoi qu'il en soit, la vraie question est de savoir qui est cette personne qui se manifeste à elle par voie de fleurs, tout en gardant son anonymat. La relation est inégale, et cela lui déplaît. Cette fois, elle ne pense pas qu'il s'agisse d'une erreur – pas deux fois de suite, et venant de boutiques différentes, comme pour mieux brouiller les pistes. Et cela est plus troublant. Elle se contente de photographier cette botte incongrue, non plus par admiration mais pour en conserver une trace. Elle commence l'archivage d'une curiosité, car elle soupçonne que d'autres fleurs risquent de lui être envoyées. Et comme ces dernières la mettent mal à l'aise, elle ne les conserve pas, ni ne les flanque à la poubelle, elle les disperse dans le square situé près de chez elle. Retour à la terre.

Son malaise s'estompe au troisième envoi : une brassée de mimosa d'un jaune aigu, odorant, nommée Froufrou. Devant cette bouffée de soleil Elda se prend à penser que la possibilité qu'elle avait considérée comme improbable la première fois, et aussitôt écartée, n'est peut-être pas si absurde finalement : quelqu'un s'intéresse à elle, lui fait la cour sans oser se dévoiler. Qui sait ? Elle est restée séduisante, elle paraît moins que son âge. Il y a des amours tardives, comme des pendants un peu dissymétriques aux amours de jeunesse, des passions hors de saison, d'autant plus vives qu'elles savent le temps compté. Elle a beau se moquer d'elle-même quand lui vient cette idée, elle ne peut s'en défaire, et elle se met à attendre de nouvelles livraisons avec de sourds émois de midinette. Elle prend davantage soin de son aspect, se maquille légèrement quand elle sort de chez elle et se montre attentive aux gens qu'elle croise, cherchant parmi les passants, les habitants de son quartier qui pourrait bien être son mystérieux galant. Elle rentre bredouille à chaque fois, et agacée par cette niaiserie sentimentale qui s'est emparée d'elle et qui lui amollit l'esprit.

Cet état ne dure guère, même si le phénomène se répète tout au long de l'année à un rythme variable.

Des bouquets lui sont livrés, toujours par des magasins différents, certains sont luxueux, arrondis ou en longs faisceaux, de couleurs chaudes ou pastel, massifs ou vaporeux, portant de jolis noms tels que Tango, Éole, Pavane, Soprano ou Valse blanche, d'autres sont plus modestes et sans dénomination, parfois réduits à une poignée de marguerites ou de jonquilles, voire à une unique fleur. Elle s'applique à mettre en sourdine son émotivité, qui résiste malgré tout, mais elle y mêle beaucoup de dérision, et surtout de suspicion. Quelqu'un peut-être s'ingénie à la leurrer, à la flatter pour mieux l'humilier ensuite. Mais qui désirerait ainsi lui nuire, pour quelles obscures raisons ? Elle ne se connaît pas davantage d'ennemis que de soupirants.

Elle continue à photographier chaque bouquet, toujours par souci d'archivage – de ce qui désormais est moins un objet de curiosité que de méfiance –, mais elle n'en conserve aucun. Aussi beaux soient certains, elle ne les veut pas chez elle, leur présence la perturbe ; sous couvert de joliesse et d'arômes délicats, ils diffusent une anxiété sournoise. Sitôt les photos prises, elle se débarrasse des fleurs. Jamais dans la poubelle, toujours dans le square, ou sur un banc public, la table d'une terrasse de bistrot, les marches d'un escalier, le rebord d'un muret. Elle les sème une à une en marchant dans la rue. Que d'autres, libres de toute défiance, toute crainte, les ramassent et se réjouissent de cette petite glanure. Elle remarque parfois, quand elle rentre de ses semailles, une personne tenant à la main une des fleurs qu'elle vient d'abandonner. Qu'ils soient jeunes ou âgés, les récolteurs et récolteuses paraissent toujours ravis de leur trouvaille, ils sourient en marchant, le regard posé sur la grande centaurée, la rose ou l'anémone, le chardon bleu, le lys ou la pivoine qu'ils portent devant eux avec délicatesse. Elda les observe furtivement, se demandant quelle pensée leur est venue à l'esprit qui éclaire ainsi leur visage d'une joie fugace et minuscule du seul fait d'avoir trouvé une fleur fraîche. Certains vont l'offrir à une autre personne, peut-être, d'autres la garderont pour eux. Cette dispersion apaise un peu le désagrément qu'elle ressent d'être la destinataire – ou plutôt la cible – de ces bouquets intempestifs. Car à présent elle en est sûre, aucun soupirant ne se cache derrière ces envois, et l'expéditeur ne sortira pas de son anonymat, ni de son silence ; jamais le moindre mot n'a été joint à un bouquet. Que veut donc cet inconnu, que *lui* veut-il – du bien, du mal ? Et s'il s'agissait d'un pervers désœuvré, et assez fortuné, qui utilisait les fleurs comme un lent poison d'angoisse distillé à des femmes dont il aurait relevé les coordonnées dans l'annuaire, ou en fouinant dans les halls des immeubles ? L'éventualité paraît certes farfelue, sinon grotesque, cependant elle n'est pas à exclure et cela la taraude. Mais elle n'ose en parler à personne, elle se sentirait ridicule.

Elle finit par prendre les fleurs en aversion ; leur fragilité, leur grâce, leur suavité ont des relents de menace. Elle en vient à détourner la tête quand elle passe devant la vitrine d'un fleuriste. En revanche, elle s'applique toujours à photographier en détail chaque bouquet qu'elle reçoit ; elle ne regarde jamais ces images ensuite, ce qui importe c'est qu'elles soient stockées dans la mémoire de son smartphone, ce sont des pièces à conviction de cet incompréhensible harcèlement floral dont elle est l'objet. Le jour où les envois cesseront définitivement, elle effacera tout, pour clore cette mauvaise plaisanterie. Mais cesseront-ils, et si oui, comment saura-t-elle que le jeu incongru est arrivé à expiration, et comment être sûre qu'une reprise n'aura pas lieu après un temps d'interruption, d'autant plus trompeur qu'il aura duré longtemps ?

Ce jour advient pourtant, au terme d'une longue année. Au cours des derniers mois, le rythme des livraisons s'est beaucoup ralenti, et le choix des bouquets simplifié. Et depuis plusieurs semaines, plus rien. L'interlude prend fin comme il a commencé, sans rime ni raison ; ou plutôt comme s'épuise graduellement l'écho d'un cri, d'une détonation, jailli avec puissance on ne sait d'où ni de quoi, de quel corps fou, de quel tir, quelle explosion dans le lointain. Un écho qui fonce droit au début, puis qui ricoche, dévie, revient, s'égare, refait surface sonore, mais de façon de plus en plus ténue, et à la fin se tait. Alors se déploie une autre résonance – celle du silence.

Loin de l'apaiser, cet arrêt des livraisons qu'elle pressent définitif la déconcerte et l'angoisse autant que leur répétition au début, et au lieu de supprimer comme elle se l'était promis les multiples photos qu'elle a engrangées dans son portable, elle les fait toutes développer, comme pour défier ce silence et contenir l'inquiétude qu'il diffuse en elle. Elle ne procède à aucun tri, que les prises aient été bonnes ou ratées, elle n'en rejette aucune. Elle se retrouve face à une pile impressionnante d'images, toutes du même format et tirées sur papier mat, aux couleurs saturées. Elle sélectionne celles où dominent le rouge, le rose vif et les jaunes, orangés ou acides, et elle en forme un tas qu'elle range dans un carton. À tout moment dans la journée, elle peut aller en regarder quelques-unes, et quand elle sort, elle en prend une liasse qu'elle glisse dans une pochette en plastique et ensuite dans son sac à main. Non, elle n'a pas rêvé, on lui a bien envoyé des fleurs, en quantité et de qualité, sans explication, elle en détient la preuve.

# 11

*Juin 2017*

Le silence se prolonge, il la pénètre à petit feu, et c'est au lent frisson rêche qu'elle sent un matin lui parcourir le corps qu'elle sait que c'est vraiment fini. Il ne se passera plus rien. Elle sait et ne sait rien, c'est une évidence dénuée de toute cause, de toute preuve, une certitude terriblement nue. Un goût âcre et fade se répand dans sa bouche, semblable à celui du salpêtre qui monte d'un sous-sol, imprègne tout. Sa chair exhale une odeur d'ombre et de froid. Elle vient de se réveiller, elle est assise au bord de son lit, les yeux encore embrumés de sommeil, et la force lui manque pour se lever ; son corps pèse comme s'il était lesté de vide. Elle voudrait se recoucher, se blottir au chaud sous les draps, mais elle ne bouge pas. Le froid de cave qui l'étreint du dedans, le silence qui crisse en elle, le vide qui s'y creuse sont tels qu'ils la paralysent.

Dans la foulée de la prémonition que la comédie des fleurs est achevée, fuse une autre intuition : elle comprend soudain qui en est l'auteur, et l'acteur. Non, pas « soudain » – en vérité, elle avait deviné depuis longtemps, mais sans permettre à ce soupçon d'accéder pleinement à sa conscience, car, de peur que cela ne remue trop de choses pénibles en elle, comme remonte la lie déposée au fond d'un récipient dès que l'on touille un liquide fermenté, elle s'était refusée à le *penser*. Ce qui est soudain, c'est le retournement du déni en évidence.

Elle comprend, sans rien comprendre. Cette certitude est encore plus nue, plus rude que la première ; elle est cinglante. La fin de la devinette coïncide avec la levée de l'anonymat. Mais pour aussitôt se retourner et relancer le questionnement : pourquoi cet intime inconnu a-t-il agi ainsi ? Était-ce un appel, une invitation ? Un message, un avertissement, une intimidation ? Mais à quoi, de quoi, en vue de quoi ? Et comment le joindre, renouer un dialogue ? Elle ignore où il vit. Elle ignore presque tout de lui. Il lui a toujours été une énigme, alors même qu'il vivait si près d'elle. Et quel dialogue pourrait-elle bien renouer alors qu'il n'y en a jamais eu de véritable entre eux. La dernière fois qu'il s'était adressé à elle, il y a environ deux ans, cela avait été pour lui signifier sa décision de ne jamais plus la revoir, ni d'avoir désormais le moindre contact. Elle n'avait même pas pu discuter avec lui, elle avait pris connaissance de ce congédiement par voie du répondeur de son téléphone. Quelques phrases brèves, d'un ton heurté, glacial. Dans la hâte et la rage qui le tenaient alors, il n'avait pas eu la patience d'attendre de la joindre en direct, et il n'avait ensuite plus téléphoné. Quant aux appels qu'elle avait tentés, ils avaient échoué. Il n'y avait plus d'abonné à son numéro. Résiliation totale. Le courriel qu'elle lui avait envoyé n'avait reçu pour toute réponse que l'avis de suppression de l'adresse électronique, et la lettre qu'elle lui avait écrite lui avait été retournée avec la mention : « N'habite plus à l'adresse indiquée. » Échappée radicale, et cela à la vitesse d'une bête aux abois – ou d'un criminel ? – fuyant un danger imminent. Diverses suppositions avaient alors traversé l'esprit d'Elda, mais elle n'en avait retenu aucune, faute de s'arrêter devant l'une ou l'autre, de la sonder, comme si elle pressentait qu'en chacune elle risquait d'être impliquée, désignée coupable.

Voulait-il qu'ils fassent le deuil l'un de l'autre de leur vivant ? Mais cela n'était-il pas déjà chose faite depuis longtemps ? Dès l'origine, il avait signifié pour elle perte et solitude. Il ne lui avait pas inspiré de la haine, non, rien d'aussi extrême, plutôt du désarroi, un malaise en basse continue, et un confus ressentiment. Elle s'était habituée à sa disparition, du moins s'y était résignée. C'est ce qu'elle a cru jusqu'à cet instant où tout le passé fait retour, un amas de mémoire congelée qui brusquement se brise et l'éclabousse de ses débris. Elle bascule lentement sur son lit, et reste là, allongée sur le dos, les bras tendus le long du corps, les yeux grands ouverts fixés sur le mur où tremble une flaque de lumière encore pâle. Elle ne regarde pas cette lueur qui va s'élargissant, ni même le mur ; elle scrute la crue de débâcle qui charrie en elle des blocs d'images, de bruits, de voix. Elle sent sa langue se coller à son palais, s'y durcir, tout son corps se raidir. Elle retrouve les sensations qui l'avaient saisie, et clouée longuement dans un état d'ahurissement, le jour où l'intrus avait fait irruption.

# 12

*17 novembre 1971*

Jérôme a obtenu le poste d'enseignant qu'il convoitait dans une université de Melbourne. Il préparait ce projet de longue date. Partir enseigner sa langue, sa culture n'est qu'un prétexte pour découvrir les singularités géographiques, géologiques de ce pays, son histoire, et plus encore sa préhistoire. Melbourne lui servira de base à partir de laquelle il compte procéder à une exploration progressive du pays, de l'île de Tasmanie et d'autres encore. Il aime rappeler que des savants de l'Antiquité supposaient l'existence d'une obscure masse continentale située dans l'hémisphère Sud, la *Terra australis incognita*, qui servait de contrepoids aux continents de l'hémisphère Nord et assurait ainsi la stabilité de la planète. Cette terre des antipodes séduit depuis l'enfance son imagination, pour lui aussi elle est un point d'équilibre qui va lui permettre d'épanouir son désir d'ailleurs, d'espaces sauvages, d'étudier la mythologie aborigène qui le passionne. Leur liaison est récente, elle date d'une huitaine de mois. D'emblée pour Elda cette relation s'est imposée comme capitale, elle l'espère durable, définitive même. Après des années de solitude ponctuée de passades si peu amoureuses en réalité, de frasques sexuelles vite désenchantées, elle a rencontré l'homme-chance de sa vie. Il déborde d'énergie, qui la contamine, il a un esprit vif, curieux de tout, et un sens de l'humour qui la surprend et l'amuse toujours. Il est entreprenant, résolu, ce qui bouscule son tempérament parfois trop hésitant. Et il tient fortement à son indépendance, comme elle-même. Il est aussi impatient, il s'emporte vite, peut se montrer cassant ; cette part plus problématique de son caractère, elle s'en accommode, elle sait désamorcer ses élans de colère. Elle déteste les conflits. Ceux que ses parents n'ont cessé d'avoir entre eux, et avec elle, l'ont à jamais dégoûtée des disputes. Après son bac, ils l'avaient inscrite d'office dans une faculté d'économie et de gestion, alors qu'elle voulait étudier l'ethnologie. Ils n'avaient jamais pris en considération ses désirs, ses rêves ; peut-être en étaient-ils incapables, n'ayant pas su le faire pour eux-mêmes, piégés qu'ils étaient dans une insatisfaction chronique qui allait de pair avec des ambitions médiocres, des principes étriqués. Elle avait donc résisté passivement, séchant les cours, n'apprenant rien. Après avoir redoublé sa première année d'université, elle avait abandonné avant la fin de la deuxième, dès qu'elle avait atteint l'âge de sa majorité. Dans la foulée, elle avait fui le domicile familial. Le prix de cette libération était élevé, il lui fallait désormais subvenir seule à ses besoins, et elle enchaînait les petits boulots, repoussant toujours à des lendemains incertains la reprise d'études, cette fois selon son choix.

C'est au cours de son dernier emploi, d'agent vacataire dans une bibliothèque, qu'elle a rencontré Jérôme. Elle l'a distingué aussitôt parmi la foule des usagers. Un jeune homme de taille moyenne, large d'épaules, cheveux bruns en bataille, des yeux noisette fendus en amande, le regard très mobile, l'air résolu. Constatant qu'il revenait régulièrement, elle s'est ingéniée à se rendre disponible pour le servir à chacun de ses passages, mettant un grand zèle à satisfaire le mieux et le plus rapidement possible ses demandes. Elle a bientôt noté son intérêt pour tout ce qui concernait l'Australie et elle a commencé à lire certains des livres qu'il empruntait. Puis elle s'est rendue dans la librairie Shakespeare and Company dont lui avait parlé une collègue, dans l'espoir de découvrir un ouvrage encore inconnu de ce lecteur féru d'histoire et de mythologie australiennes. Pour le surprendre, se faire enfin remarquer de lui, et, qui sait, le séduire. Elle est allée plusieurs fois dans cette boutique, fouillant pendant des heures dans le prodigieux capharnaüm de bouquins partout entassés. Son niveau d'anglais était faible, elle n'avait plus étudié ni pratiqué cette langue depuis sa sortie du lycée, elle déchiffrait avec application et lenteur les résumés inscrits au dos des livres. Elle a alors décidé de se remettre à l'apprentissage de l'anglais et s'est inscrite à des cours du soir.

Elle a fini par dénicher une *Anthologie de poésie australienne* et une biographie consacrée à David Unaipon, écrivain indigène, inventeur prolifique, activiste politique défenseur de son peuple, pasteur anglican, grand prédicateur, collecteur et conteur des récits fabuleux et des mythes aborigènes ; à lui seul, une légende. L'anthologie était un volume de petit format à la couverture encrassée. Son ancien propriétaire avait écrit : *This book belongs to Nathan* sur la page de garde. Une belle écriture, fine, anguleuse. Le prénom était tracé en lettres plus hautes, et légèrement penchées. Avec ces deux trouvailles, Elda tenait le sésame qui allait lui permettre d'entrer enfin en contact plus personnel avec Jérôme. Elle connaissait son nom, sa date de naissance, son adresse, elle avait examiné en détail sa carte d'inscription à la bibliothèque. Lui, il ignorait tout d'elle, ne l'aurait peut-être même pas reconnue dans la rue. Il était urgent d'établir un peu de réciprocité. Mais, pas plus tôt sortie de la boutique, elle a été saisie d'un doute. Ne risquait-elle pas de lui paraître ridicule ou déplacée avec son cadeau injustifié, une fouineuse de la vie des lecteurs, une gourde prétentieuse croyant pouvoir épater avec deux bouquins d'occasion un type tellement plus instruit qu'elle ? De deux ans son cadet, il était déjà professeur d'histoire dans un lycée de Paris. Elle, elle n'avait aucun diplôme. Jusque-là elle n'avait pas éprouvé de complexe de classe sociale. Celui-ci, elle l'avait découvert, et observé avec répugnance, chez ses parents, gens issus de milieux populaires dont ils avaient honte et prétendaient se démarquer, tout en échouant à saisir les codes de la bourgeoisie et à s'y conformer. Elle, c'était d'eux qu'elle ne se sentait pas solidaire, et le complexe de classe, elle l'avait tôt neutralisé en lui donnant une armure politique. Mais là, soudain, il sortait de sa neutralité, de l'impersonnalité où elle l'avait un peu vite rangé, pour venir la tarauder. Elle craignait de ne pas faire le poids culturellement avec cet homme. Pendant deux jours elle s'est tourmentée, rongée de scrupules autant que d'agacement, passant d'un sentiment d'infériorité à un d'humiliation, de là à un élan de colère contre ses parents qui l'avaient détournée de sa vocation, contre elle-même devenue beaucoup trop insouciante, et même paresseuse sur le plan intellectuel, de colère aussi contre la société, son fonctionnement aussi brutal que sournois, de colère enfin contre ce jeune prof arrogant qui n'avait pas daigné lui manifester un quelconque intérêt. Puis elle rebroussait chemin aussi vite qu'elle l'avait parcouru, retournant à la case départ, celle de la confusion et de la crainte d'être éconduite, ou de passer pour une idiote. Le troisième jour elle a décidé d'en finir avec ses hésitations. Elle ne supportait pas davantage d'être en conflit avec elle-même qu'avec les autres. Après tout, elle n'était pas dénuée de qualités, ni de charme. Elle était même fort jolie. Et si son geste était mal reçu, elle saurait au moins à quoi s'en tenir, elle n'insisterait pas. Elle a donc osé lui donner les deux livres, d'un air presque désinvolte. Le stratagème a fonctionné au-delà de ce qu'elle avait pu espérer. Tout est allé très vite. Il l'a remerciée, invitée à prendre un café après la fermeture de la bibliothèque. Elle lui a plu. Ils ont passé la soirée ensemble, puis la nuit. Quand il s'est endormi après l'amour, elle s'est penchée vers lui et, du bout d'un doigt, elle a écrit en l'air au-dessus de son corps nu, en larges lettres invisibles : *This man belongs to Elda*. C'était naïf, sinon niais, elle en avait conscience, elle s'en foutait, elle était amoureuse.

Tout va toujours vite avec Jérôme, les idées, les désirs, le travail, l'énergie qu'il déploie à mettre en œuvre ses projets. Comme elle a su s'accorder à son rythme, il l'a laissée se glisser dans sa vie, dans ses plans. Elle poursuit avec assiduité son apprentissage intensif de l'anglais et progresse rapidement, elle suit aussi des cours de conduite et doit bientôt passer son permis. Elle est prête, pour tout. Les examens, la migration, l'inconnu, les expéditions.

Le soir où elle ressent des maux de ventre et des brûlures d'estomac, elle en attribue la cause à tout ce surmenage, et aussi aux soirées copieusement arrosées et enfumées qui se sont succédé ces derniers temps chez leurs amis pour fêter leur prochain départ. Les médicaments qu'elle avale avant de se coucher pour guérir cette indisposition ne font aucun effet. Douleurs et brûlures vont croissant tout au long de la nuit. Au matin, elle téléphone à la bibliothèque pour prévenir qu'elle ne pourra pas venir travailler, se sentant trop souffrante, et Jérôme l'accompagne en taxi à l'hôpital avant de filer à son lycée. Et là, les choses vont encore bien plus rapidement que tout ce qu'elle a connu au cours de ces derniers mois si dynamiques. Du service de gastro-entérologie où on l'a conduite à son arrivée, elle est d'urgence dirigée vers celui de gynécologie-obstétrique, où, en un rien de temps, elle accouche d'un enfant. Un garçon en parfaite santé, long de cinquante et un centimètres et pesant trois kilos et demi. Non content d'avoir poussé incognito, il a pris ses aises temporelles ; le médecin estime à une dizaine de mois la durée de sa gestation. Elda ne comprend rien à ce qui se passe, entend à peine ce qu'on lui dit. Elle fait un mauvais rêve, elle va se réveiller. On lui a volé son corps, on lui a substitué celui d'une autre femme, cet enfant n'a rien à voir avec elle, il est celui d'une inconnue qui s'est frauduleusement débarrassée sur elle d'une maternité qu'elle ne voulait pas assumer.

Comment cet être incongru a-t-il pu entrer en gestation, alors qu'elle prend la pilule contraceptive et que ses règles sont restées régulières ? Cet enfant est un escamoteur. Comment a-t-il pu se développer, alors qu'elle n'a pas grossi, ou si peu, son ventre ne s'est pas arrondi, ses seins n'ont pas gonflé, aucune pigmentation particulière n'est apparue sur son visage, elle n'a ressenti ni nausées ni malaises ni envies alimentaires subites et farfelues, rien, aucun signe ; pas le moindre *signal d'alarme.* Elle était en péril et ne le savait pas. Cet enfant est un danger, d'autant plus affolant qu'il arrive paré d'innocence et de fragilité. Il a grandi en catimini, sans bouger, s'allongeant sournoisement le long de sa colonne vertébrale, tête en bas comme un hippocampe accroché à une branche de corail. Ce n'est pas un enfant, mais une aberration, un mirage, une chimère.

Une chimère, c'est ainsi qu'elle considère l'intrus. Ou un fantôme venu elle ne sait d'où, de quel obscur passé. Pourquoi est-il apparu, que veut-il ? Un enfantôme. Mais d'elle-même, qu'en est-il au fait ? N'est-elle pas elle aussi très bizarre, inquiétante même, car comment a-t-elle pu rester à ce point dans la méconnaissance de son propre corps ? Peut-on se tromper sur soi, se trahir soi-même si gravement ? Peut-on être si sottement, absurdement l'ennemie de soi-même, détruire d'un coup un bonheur enfin trouvé et qui promettait de croître ? Elle reste étendue dans son lit, les yeux braqués sur le mur peint en mauve pâle, couleur qu'elle n'aime pas, mais elle ne la voit pas, elle ne remarque aucun détail, elle est trop atterrée. Son dos lui fait mal, comme si os et muscles étaient disloqués. Le nouveau-né est couché dans un berceau près de son lit, il est très calme. Aussi discret que lorsqu'il se tenait tapi tête en bas dans son dos. Quel autre mauvais coup est-il en train d'ourdir dans ses petits draps blancs ? Elle n'esquisse aucun geste vers lui, ne lui jette aucun regard. Elle sait qu'il est là, elle l'entend respirer, cela suffit à son accablement. Elle redoute à présent l'arrivée de Jérôme. Lui aussi va apprendre tout à trac cette nouvelle insensée – sa compagne vient d'accoucher d'un enfant dont ni elle ni lui ne soupçonnaient l'existence jusqu'au dernier instant. Et, détail très aggravant, il n'en est pas le père, ne peut pas l'être. Quelque amant d'un soir, comme elle en avait de-ci de-là avant sa rencontre avec Jérôme, et dont elle a déjà presque tout oublié, en est le géniteur.

Jérôme entre dans la chambre, il reste un instant debout près du lit, le temps de jeter un coup d'œil au berceau installé de l'autre côté, puis il s'assied au chevet d'Elda. Il ne l'embrasse pas, ne lui effleure même pas le visage, les cheveux ou l'épaule. Il ne dit rien encore. On n'entend que la respiration de la petite chimère qui dort repliée sur elle-même. Elda ne détourne pas son regard du mur mauve, elle ne bouge pas, se tait. Elle attend la sentence, non pas de la découvrir, elle la connaît déjà, mais la façon dont elle va lui être assénée. Elle a hâte d'en finir, elle est si fatiguée, elle voudrait dormir. Dormir d'un long sommeil hibernal. Jérôme se racle la gorge, cherchant ses

167

mots, et peut-être aussi à maîtriser son émotion, qui penche beaucoup du côté de la déception et de la colère. Enfin il se met à parler, d'un ton qui se veut mesuré, et neutre. Chaque mot s'en fait d'autant plus blessant. Comment faire confiance à une femme aussi imprévisible, qui ne sait pas ce qu'elle fait, ou a fait, et encore moins ce qui se passe en elle ? Une femme qui vit en étrangère avec son propre corps. Ou bien qui ment ? Qui se ment insensément à elle-même pour mieux leurrer les autres en toute candeur ? Une femme ingénument duplice ; bref, un oxymore vivant. En conséquence de quoi une source d'instabilité et d'insécurité constantes. Il va de soi qu'elle ne l'accompagnera pas à Melbourne, et qu'elle n'ira pas l'y rejoindre même en temps décalé, qu'elle n'y compte pas, elle vient de saboter ce projet auquel il l'avait associée et qu'il va donc réaliser seul, comme prévu au départ.

Il fait les demandes et les réponses à un rythme de métronome, et elle sent combien il la repousse loin de lui à chaque mouvement du balancier. Elle voudrait parler à son tour, mais il ne lui en laisse pas le temps, et surtout pas l'énergie, il achève de l'épuiser. Elle ne trouve rien à dire pour s'expliquer, pour plaider sa cause. Et quand bien même, elle ne pourrait pas l'exprimer, sa langue s'est collée à son palais, elle s'y ventouse. Puis il lui porte l'estocade :

– Allez, on s'est trompés d'histoire d'amour, tous les deux, voilà tout, c'est dommage, mais banal à bâiller, ou à pleurer. N'est-ce pas, pauvre Claudette ?

Sa voix se fait railleuse sur ce dernier mot qu'il articule en détachant les deux syllabes. Elle n'écoute pas ce qu'il ajoute ensuite, elle n'entend plus que le sang qui bat à ses tempes. Claudette, son prénom d'état civil, un diminutif en guise de nom propre. Elle s'est empressée de le rejeter dès qu'elle a quitté le domicile familial. Elle a juste prélevé quatre lettres et les a combinées en Elda. En fait, c'est moins son prénom d'origine qu'elle déteste que la façon dont ses parents le prononçaient ; son père en traînant sur la première syllabe, sa mère en accentuant la seconde sur un ton suraigu. Jérôme sait combien elle a ce nom en aversion pour tout ce qu'il cristallise en lui d'ennui, de fadeur, de solitude – l'atmosphère poussiéreuse de son enfance et de son adolescence. Et il le lui renvoie d'une chiquenaude, d'un air presque badin. Est-ce inconscience, ou cruauté ? Un peu l'un, un peu l'autre. Lui aussi est sous le choc de cette naissance inattendue, invraisemblable, qui chamboule ses projets et surtout semble avoir rompu net le charme amoureux qui le liait à elle. Il y a du dépit, de l'amertume dans ses propos caustiques. Elle voudrait crier, lui ordonner de se taire et de foutre le camp, mais ses mâchoires se crispent, se soudent. Il se lève, dit encore quelque chose, elle ne l'écoute plus du tout, sa langue s'affole tant dans sa bouche pour s'arracher à son engluement qu'elle se distord, se glisse à l'intérieur de sa tête, lèche les cris qui s'y élancent et se brisent les uns contre les autres, lape les larmes qui la brûlent. Qu'il parte, qu'il disparaisse avant que sa tête n'éclate.

Enfin, il sort de la chambre, elle entend à nouveau ; la porte qui se referme, les pas s'éloignant dans le couloir et, à ses côtés, le léger souffle du bébé. On lui a demandé si elle voulait garder l'enfant, le reconnaître et l'assumer, ou bien si elle envisageait de le confier au service d'aide sociale à l'enfance en vue d'une adoption. Mais qui lui a posé cette question, la sage-femme, une infirmière, quelqu'un du service administratif, ou bien Jérôme ? Elle ne sait pas. Peut-être personne ; c'est elle-même qui s'interroge. Un abandon immédiat et définitif du nouveau-né serait logique, dans la continuité du déni total de grossesse qui a précédé l'accouchement. Ainsi font les chimères, les spectres, une brève apparition et puis s'en vont. Non sans avoir jeté l'effroi et causé des dégâts. La possibilité de l'abandon l'apaise, son corps se détend un peu, son regard se détache enfin du mur mauve et se lève vers le plafond, peint en blanc. Cette blancheur la repose. Elle en oublierait presque la présence de l'enfantôme, s'il n'y avait le rythme doux et monotone de sa respiration.

Elle flotte à fleur de cet oubli, comme en apesanteur dans le blanc crayeux qui poudroie du plafond. La visite d'une assistante sociale, qui se propose de l'aider dans les démarches administratives qu'elle va devoir accomplir, la surprend dans cet état de flottaison. Et quand la femme lui demande quel prénom elle a choisi pour le petit, elle reste un moment sans réaction, l'esprit vide. Choisir quoi, pour qui ? Les chimères, les fantômes ne se prénomment pas. Mais voilà qu'elle énonce un nom, comme si soudain elle le voyait s'écrire sur le plafond en lettres élancées et obliques. Nathan. Elle le voit s'écrire et s'effacer. Nathan, qui n'est à personne et auquel rien ni personne n'appartient. Elda répète le nom, plusieurs fois.

– Oui, c'est un joli prénom, finit par dire l'assistante sociale, pensant qu'il est nécessaire d'approuver ce choix pour réconforter la jeune mère à l'évidence hagarde.

Et elle ajoute :

– Et comment voulez-vous l'orthographier : avec un *h*, sans *h* mais avec deux *t*, ou un seul *t* ?...

Elda ne prête aucune attention à la question de la

femme, elle continue à suivre des yeux l'écriture invisible sans cesse en train de se tracer et de s'estomper, réduite à ce seul nom, Nathan, qu'elle prononce à chaque fois qu'elle le lit, mais d'une voix de plus en plus assourdie. Elle s'assoupit. Dans le doute, la femme opte pour la graphie la plus simple et elle inscrit : « Natan ». L'enfant bouge dans son lit, il commence à geindre, il a faim. Elda ne l'entend pas, elle s'est endormie. De toute façon, elle n'a pas de lait.

# 13

## Les années Nathan

Non, pas de lait, rien. Son corps a continué à se désintéresser de cette maternité qu'il avait ignorée jusqu'à l'accouchement. Mais très vite il a eu à payer les conséquences de cette grossesse escamotée, le ventre s'est relâché, les muscles du dos ramollis, causant à Elda des douleurs violentes qui ont duré longtemps. Son corps lui est devenu aussi étranger que l'enfant qu'il avait dissimulé. Étranger, suspect, importun. Et il s'est expulsé du désir, de tout désir de séduire, d'étreindre un autre corps, de jouir de l'enlacement et de l'union à un autre corps. Il s'est condensé en une machine ne nécessitant plus que nourriture, repos, exercices et hygiène pour en assurer le bon fonctionnement, rien de plus. Et pareillement avec l'enfant, auquel Elda a prodigué les soins nécessaires à sa survie, à son bon développement physique. Elle n'a jamais eu de gestes brusques ni même négligents à son égard, n'a jamais manqué à son devoir de responsabilité envers lui. Elle l'a lavé, langé, nourri, elle a veillé sur sa santé. À cause de lui, elle a dû renouer avec ses parents qu'elle tenait à distance depuis des années, et affronter leurs reproches, leurs plaintes, et surtout leur façon de vivre indécrottablement mesquine. Elle a dû redevenir Claudette, ce nom honni bramé par le père qui appuyait si lourdement sur la première syllabe en fermant le *o*, comme dans « crapaud », et si vilainement craillé par sa mère qui, elle, soulignait la seconde syllabe, « dette », et rien qu'à l'entendre, Elda ressentait une bouffée de dégoût.

Elle n'avait pas le choix, elle était seule avec l'enfant et elle avait perdu son emploi. Elle avait déposé un avis de démission en prévision de son prochain départ en Australie, la bibliothèque avait bien pris acte de sa demande et lui avait déjà trouvé une remplaçante. Il ne lui restait que deux semaines et demie à assurer quand le malheur est arrivé. Elle était surtout terriblement fatiguée. La première année, elle est donc retournée vivre chez ses parents dans leur pavillon de Villeneuve-la-Garenne. Le quartier avait changé, elle l'a trouvé enlaidi, beaucoup de petites maisons avaient été rasées, et leurs jardins avec, des barres prenaient leur place, étendant partout leurs tentacules en béton. Dès qu'elle a retrouvé des forces, elle a cherché un travail. Son apprentissage de l'anglais lui a été un atout, elle a trouvé un emploi de secrétaire bilingue dans une entreprise d'import-export. Elle a répudié l'apprentie rebelle qu'elle avait été, et renoncé à l'aventurière qu'elle rêvait de devenir. Elle s'est résignée à son sort, elle s'est soumise au destin auquel elle avait tant voulu, et cru pouvoir échapper. Une soumission amère, mais qu'elle a assumée sans broncher ; à quoi bon, contre qui ? Dès qu'elle l'a pu, elle a fui le pavillon familial pour retourner dans Paris, où elle a loué un petit trois-pièces au premier étage d'un immeuble vétuste, donnant sur cour. Il était exigu, sombre, mais suffisant.

L'enfant, ce n'est pas qu'elle le détestait, elle ne parvenait pas à l'aimer, voilà tout, pas même à s'habituer à sa présence. Et pourtant, elle avait installé le berceau dans sa chambre, au pied de son propre lit, puis un petit lit à barreaux en bois blanc où il avait dormi jusqu'à l'âge de six ans passés. Elle aurait pu le placer dans une autre pièce, mais bizarrement ce qui l'indisposait tant le jour – voir cet indésirable bouger, babiller, jouer avec ce qui lui tombait sous la main, commencer à se tenir debout puis crapahuter vivement à travers l'appartement – ne la gênait pas la nuit.

Au contraire, ce voisinage l'apaisait, elle écoutait la respiration délicate qui pulsait avec une régularité de pendule. Il faisait de longues nuits, ne pleurait jamais, ne gigotait pas. De temps à autre il émettait un soupir, mais si ténu, comme un froissement de soie, qu'il diffusait une sensation de douceur dans la chambre. Elle n'allait pas se pencher sur le berceau pour vérifier si le dormeur n'avait pas pris une mauvaise position ou était traversé par quelque rêve désagréable. S'il respirait ainsi, c'est qu'il se portait bien. Depuis le premier jour, la respiration de Nathan l'étonnait, elle lui faisait l'effet d'un mystère à la fois léger et immense, intime et impersonnel, d'un enchantement mélancolique. À cause de cela, peut-être, elle avait gardé l'intrus, choix non réfléchi qu'elle se reprochait souvent dans la journée, et oubliait chaque nuit. Mais il lui a fallu rompre ce charme nocturne quand l'enfant a grandi, atteignant déjà presque l'âge de raison. Il ne restait plus alors que la relation diurne, réduite à une heure le matin avant qu'il ne parte à l'école, à trois ou quatre le soir, et au cours de ces temps de cohabitation, il ne se passait pas grand-chose – les gestes du quotidien, préparer les repas, mettre et débarrasser la table, ranger les objets, vérifier les devoirs scolaires à faire pour le lendemain, regarder un peu la télévision, pas longtemps, puis l'envoyer se coucher avec le droit de lire une demi-heure au lit. D'échanges de paroles, il n'y en avait que peu, juste des propos brefs et quelconques. Le garçon était obéissant et serviable, elle voyait bien qu'il mettait même du zèle dans sa gentillesse pour mieux lui faire plaisir, et tout en appréciant, elle s'en agaçait. D'avoir été si brutalement surprise, choquée par sa naissance intempestive, elle conservait une irréductible méfiance à son égard ; son empressement à lui obéir et à lui rendre service, le soin qu'il mettait à ne pas la déranger, à ne rien réclamer, sa capacité à vivre en solitaire le lui rendaient suspect. Qui sait si cela ne cachait pas quelque calcul, quelque ruse. La façon qu'il avait d'entrer dans une pièce sans faire le moindre bruit, tel un chat avançant en tapinois pour mieux surprendre sa proie, la faisait immanquablement sursauter et l'irritait au point qu'elle le rabrouait presque à chaque fois. «Tu m'as fait peur», disait-elle, désemparée. Et souvent lui revenait une image qui lui avait traversé l'esprit le jour de l'accouchement, celle d'un hippocampe, ce poisson singulier à tête de cheval miniature qui nage à la verticale et qui a l'art de se dissimuler parmi les algues dans l'attente du passage de crustacés microscopiques à portée de son museau, lequel est capable de les avaler par une aspiration éclair sans provoquer le moindre remous dans

177

l'eau. Un petit prédateur expert en camouflage et en vélocité d'attaque.

Et puis il a eu ce problème d'élocution qui a duré des années. Le bégaiement le prenait tantôt dès le début d'une phrase, tantôt en cours de parole, les mots se cassaient dans sa gorge et tressautaient dans sa bouche d'une manière comique qui virait très vite au pathétique et à l'énervement pour l'auditeur, à l'épuisement et à l'angoisse pour lui. Les séances chez une orthophoniste sont restées sans résultat. Mais un jour ce trouble a disparu, du moins a-t-il beaucoup diminué, et sa scolarité s'est améliorée. L'enfant timoré et bredouillant est même devenu plus ouvert, presque bavard et enjoué par moments, utilisant des mots insolites, des tournures biscornues ou inhabituelles, citant des vers dont elle n'était pas sûre qu'il en saisît toujours le sens. Elle n'avait compris que bien plus tard d'où lui étaient venues ces lubies langagières et ces loufoqueries poétiques, de ce bonhomme au teint bistré et tavelé, aux yeux rouille orangé et à l'accent roulant qu'elle avait rencontré par hasard un jour dans le quartier en compagnie de Nathan alors grand adolescent. Ils semblaient très complices, ces deux-là, en train de faire les zouaves sur le trottoir quand elle les avait aperçus. Ils jouaient à pousser une canette de jus de raisin – elle distinguait le dessin d'une grosse grappe de raisin noir à demi écrasée – en sautant à cloche-pied et en lançant des bouts de phrases alternativement, comme s'il s'agissait d'un dialogue haché en brèves tranches de mots. Elle s'était rencognée dans le renfoncement d'une porte et les avait observés le temps de leur jeu improvisé ; elle avait attendu qu'ils s'éloignent pour sortir de sa cache.

L'aspect de cet homme l'avait mise assez mal à l'aise ; la couleur de ses yeux, pareille à celle d'oiseaux nocturnes ou d'un fauve décati, son fort accent qui brouillait la compréhension de ce qu'il disait, et aussi ce je-ne-sais-quoi d'excentricité, d'assurance et de désinvolture qu'elle avait flairé en lui. Et puis, qu'à son âge il singe ainsi en pleine rue le jeu de la marelle, quel exemple pour son fils ! Qui était-il, d'où sortait-il, quand et comment Nathan avait-il fait sa connaissance, quelle était la nature de leur relation ? Mais au fond, c'était un pincement de jalousie qu'elle avait ressenti ; voir son fils si enjoué, l'entendre rire comme un gamin avec un vieux folingue, il ne riait jamais de la sorte avec elle. Le soir même, elle avait soumis Nathan à une avalanche de questions qu'il avait pour la plupart éludées en les détournant, ou en n'y apportant que des réponses évasives. Comme elle insistait pour en savoir davantage et surtout qu'elle lui interdisait de fréquenter cet individu un peu louche, il s'était emporté, et pour la première fois rebellé. De quoi se mêlait-elle, de quel droit jugeait-elle quelqu'un dont elle ignorait tout, le repoussait-elle en insinuant qu'il avait peut-être des mœurs douteuses et pouvait être dangereux ? Et il lui avait lancé cette phrase, qu'elle avait reçue comme une gifle :

– Cet homme me fait plus de bien que tu ne m'en as fait depuis ma naissance. Il me parle, *lui*, il sait plein de choses, et il est amusant, *lui*, inventif. C'est mon ami. Mon meilleur ami.

La fin de sa diatribe s'était soudain désarticulée sous la montée d'une crise de bégaiement. La discussion s'était arrêtée là, mais le lendemain matin, tandis qu'elle préparait le café, elle lui avait dit, dos tourné, sur le ton neutre d'un communiqué de presse :

– À propos d'ami, moi aussi j'en ai un. Il s'appelle Bruno, il a trente-huit ans, il est chargé de clientèle dans mon agence bancaire. Il est très gentil, agréable, *lui*, et il m'apporte bien plus de détente et de sécurité que tu ne m'en as donné et ne m'en donneras jamais. À moins que tu ne changes.

C'était un match en temps décalé ; un partout, chacun son ami, chacun un rival potentiel dans la vie de l'autre. Cette nouvelle avait plutôt réjoui Nathan, mais il n'avait pas fait de commentaires. Il avait bien remarqué depuis quelques semaines que sa mère rentrait souvent plus tard, qu'elle était aussi devenue plus fringante et d'une humeur plus gaie. La réaction positive de son fils l'avait détendue, et après deux semaines elle l'avait présenté à Bruno. Nathan l'avait trouvé en effet sympathique. Un type chaleureux, spontané, et surtout un passionné de moto qu'il pratiquait chaque week-end et pendant les vacances. Elda avait vite vaincu ses appréhensions et elle avait pris goût à ces escapades en moto, les mains accrochées à la taille du pilote. Après toutes ces années de solitude amoureuse, d'abstinence sexuelle tant elle avait pris en crainte et en suspicion son propre corps, elle avait enfin baissé la garde et s'était donné toute licence de faire l'amour.

Bruno avait accueilli le garçon avec cordialité, il n'avait pas cherché à jouer au père de substitution, il s'était contenté d'avoir un comportement de grand frère. Ça tombait bien, Nathan n'aurait pas supporté une posture paternelle de la part de cet homme, la place était déjà occupée. De temps en temps il se rendait à Malakoff où habitait Bruno, et celui-ci l'initiait alors à la conduite de la moto. Nathan prenait la place du passager, ils sortaient de la ville et dès qu'ils étaient parvenus dans la campagne, ils empruntaient des petites routes où Bruno lui confiait le guidon et lui expliquait les techniques de base du pilotage ainsi que quelques rudiments du code de la route et des consignes de sécurité. Nathan apprenait vite, il se montrait attentif et prudent, mais les circuits qu'il effectuait restaient limités.

Il n'avait pas raconté à Gavril que sa mère les avait aperçus ensemble dans la rue et la dispute qui s'en était suivie, à cause des propos désobligeants qu'elle avait tenus envers « ce bonhomme d'un âge incertain, hirsute et infantile », selon ses termes. En revanche, il avait parlé de Bruno, davantage en tant que motard que comme amant de sa mère. C'est à cette occasion que Gavril lui avait avoué, en parodiant de-ci de-là Rimbaud, son vieux rêve de faire une longue course à moto sur des routes désertes, au petit matin, quand *rien ne bouge encore au front des palais,* pour mieux jouir de *l'aube exaltée ainsi qu'un peuple de colombes* en rivalisant de rapidité avec celle du soleil, *foyer de tendresse et de vie* s'élevant dans le ciel au-dessus de *la terre nubile.* Foncer pour s'amuser à écharper la brume comme des filaments gris-rose de barbe à papa, pour faire vibrer *le monde comme une immense lyre dans le frémissement d'un immense baiser.* S'étourdir de vitesse, de roseur, d'ombres en débandade pareilles à des nuées d'oiseaux affolés par l'écho d'un coup de feu. Arracher un à un les voiles de l'aube, embrasser son corps nu, l'étreindre par et dans la vitesse et le sentir respirer, *vif et tiède* contre soi, puis rouler enlacés jusqu'au bas de l'horizon. Rouler, rouler à toute allure, *comme un mendiant sur les quais de marbre.* Et il avait ri de son fantasme de vitesse, s'était moqué de son pastiche, mais Nathan l'avait pris au sérieux, car ce qu'il avait entendu dans son rire, c'était moins de la dérision que la joie qu'aurait Gavril à filer sur une moto. Il s'était alors promis de lui offrir un jour prochain cette expérience, de lui donner la possibilité de gueuler du Rimbaud à plus de cent à l'heure. Il avait patienté longtemps, presque un an et demi, et un jour enfin l'opportunité s'était présentée, quand sa mère et Bruno étaient partis passer un long week-end à Madrid. Ils avaient pris l'avion, la moto était restée au garage. Nathan savait où sa mère rangeait la clef de la maison de Bruno à Malakoff, et chez celui-ci, où trouver celles du garage et de la moto. Il avait donné rendez-vous à Gavril porte de Vanves, sans lui préciser pourquoi il le convoquait si tôt, c'était une surprise. Il lui avait apporté un casque, un blouson approprié et des gants, expliqué comment se tenir, pieds, mains, poids et mouvements du corps, et l'avait embarqué.

Ils étaient vite sortis de Paris, Nathan avait accéléré dès qu'il avait atteint la campagne. Au début Gavril était crispé et se tenait muet, mais Nathan l'avait senti se détendre dans son dos, et quand le soleil avait grossi à l'horizon il avait commencé à crier, non pas des vers de Rimbaud mais d'Apollinaire. *La nuit s'éloigne ainsi qu'une belle Métive C'est Ferdine la fausse ou Léa l'attentive Et tu bois cet alcool brûlant comme ta vie Ta vie que tu bois comme une eau-de-vie...* Salut Soleil Salut *Adieu Adieu Soleil cou coupé...*

Elda s'est efforcée de se remémorer ce que Nathan avait dit quand il l'avait appelée pour la dernière fois. Elle avait alors écouté, réécouté ses propos confus, furieux, sans parvenir à bien comprendre la raison de sa colère. Elle aimerait entendre de nouveau ce message, mais il s'est effacé depuis longtemps. Elle se souvient qu'il avait parlé de l'autre, là, le vieux bonhomme bizarre qu'elle avait aperçu un jour en sa compagnie et qui lui avait fait une mauvaise impression. Elle lui avait déconseillé de continuer à le fréquenter, mais elle se doutait que Nathan n'avait pas tenu compte de son avis. Elle avait choisi d'ignorer le problème, elle avait alors un autre sujet d'intérêt, Bruno. Ce nouvel amour accaparait toute son attention, et les choses se passaient au mieux entre elle et lui et lui et Nathan. Mais pourquoi celui-ci lui avait-il reproché dans son ultime message de lui avoir menti au sujet de ce type, dont elle avait alors oublié le nom ? Elle le croyait mort, tué sur le coup. C'est ce que Bruno, qui s'était renseigné auprès du personnel de l'hôpital où Nathan avait été transporté, lui avait déclaré. Elle n'avait pas cherché à en savoir davantage, ce qui lui importait alors c'était que Nathan soit en vie, ou plutôt qu'il revienne à la vie, qu'il sorte du coma. Quant à Bruno, la relation avec lui s'était détériorée à grande vitesse ; il s'était montré bien plus contrarié par la perte de sa moto que par le très grave état dans lequel était plongé Nathan, et il ne décolérait pas contre celui-ci d'avoir abusé de sa confiance. Peut-être était-ce pour se venger qu'il avait prétendu que le passager était mort, pour accentuer sa culpabilité de voleur d'une moto dont il n'avait même pas la maîtrise. Mais elle, pour la première fois, n'en avait pas voulu à son fils, cet hippocampe qui pourtant avait encore agi en douce, dramatiquement. Il était fautif, plus que jamais, elle le savait mais cela d'un coup ne comptait plus. Elle s'était rendue chaque soir à l'hôpital. Où était passé son souffle ? Elle ne le percevait plus, perdu dans tous ces tuyaux dont on avait truffé son corps. Elle tendait l'oreille pour tâcher de le distinguer derrière les sifflements, les gargouillis, les bruits des machines ; il lui fallait l'entendre, ce souffle qui depuis dix-sept ans produisait sur elle un sortilège étrange et apaisant en dépit de tout. Elle restait là, assise à son chevet, immobile et silencieuse, toujours aussi incapable de lui parler ; elle se contentait de le regarder, et d'écouter. Elle attendait, sans savoir quoi par-delà l'espoir qu'il se réveille, elle flottait dans une attente indéfinie où se dissolvaient ses pensées, et ses rancœurs.

La chambre était blanche, éclairée au néon ; un bocal de lumière froide. Sur le mur devant lequel était disposé le lit, la peinture cloquait à plusieurs endroits, formant des boursouflures dont l'une avait la rondeur d'un sein. Lors d'une de ses veilles, elle s'était assoupie, et quand elle avait rouvert les yeux elle avait cru apercevoir, l'espace d'un instant, un filet de lait couler du sein mural. Ce n'était que la fatigue qui lui brûlait les yeux et les faisait un peu larmoyer, lui brouillant la vue.

Bruno et elle s'étaient séparés. Cette nouvelle rupture s'était faite presque aussi rapidement et avec une semblable sécheresse que celle qui s'était produite avec Jérôme, et auprès du même corps endormi, mais sans provoquer un aussi grand bouleversement. Elda avait rendu les clefs de la maison de Malakoff, elle avait changé d'agence bancaire et n'était plus montée sur une moto. Bruno l'avait déçue, il s'était révélé mesquin, acrimonieux, borné ; un crétin ordinaire qui se montre charmant tant que tout va bien, que sa vie est huilée, qu'il dispose à sa guise de tout ce qu'il désire, mais qui vire au roquet dès que survient un imprévu fâcheux et que l'on porte atteinte à ses biens, à son confort et à ses principes. Un motard en pantoufles, comme ses parents à elle n'étaient que des petits-bourgeois en croquenots poussiéreux et racornis. Mieux valait qu'il ait montré son vrai caractère avant que leur relation ne se soit davantage engagée. Elle lui était reconnaissante au moins d'une chose, il lui avait permis de se réconcilier avec son corps, de retrouver le goût du plaisir sexuel, et cette fois elle ne comptait pas y renoncer.

Nathan avait fini par se réveiller, mais son retour à la conscience s'était effectué graduellement. Sa première question avait été : « Gavril. Où est Gavril ? » Au début Elda avait répondu qu'elle ne savait pas, puis, quand le malade avait été jugé en capacité d'être informé, elle lui avait annoncé le décès de son ami. Ensuite, comme il insistait pour savoir où ce Gavril avait été inhumé, elle avait inventé qu'il avait été incinéré, pour couper court. Oui, là elle avait menti, par défaut, et sur un point secondaire. Mais pourquoi cet homme prétendu décédé, alors qu'à l'évidence il avait fort longtemps survécu à l'accident, ne s'était-il pas inquiété de savoir ce qu'il était advenu de Nathan, n'avait-il jamais essayé de le revoir ? Elda soupçonne Bruno d'avoir fait annoncer à l'époque au passager de la moto la même fausse nouvelle que celle qu'il avait réservée au conducteur : Nathan déclaré mort, tué sur le coup. Les deux soi-disant cadavres ne risquaient pas de reprendre contact, chacun avait croupi dans les limbes du double mensonge prononcé par Bruno comme prix à payer pour la trahison subie et pour la destruction de sa moto.

Une fois sorti de l'hôpital, Nathan s'était à nouveau refermé sur lui-même, il n'avait plus manifesté de velléités d'indépendance, de fantaisie, il s'était montré docile, bien que de façon poussive, aux avis de sa mère, aux règles de son milieu scolaire, puis professionnel. Il avait renoncé aux chemins buissonniers et s'était engagé d'un pas lourdaud mais régulier sur les rails d'une vie terre à terre ; une vie sans histoire, pas même d'amour, mais plutôt bien réussie sur le plan matériel. Il s'était résigné, comme autrefois Elda, à un destin sage et banal, très éloigné des rêves et des désirs qui l'avaient animé auparavant. L'intermède Gavril était clos, révolu.

Ce détachement de soi, de ce qu'il avait été et aurait pu devenir, était allé de pair avec une autre désaffection, progressive mais tenace, à l'égard de sa mère. Il ne se souciait plus d'obtenir d'elle les marques d'un amour qu'il avait pourtant intensément espéré. Qu'importait à présent ce qu'il était en droit d'attendre mais qu'il n'avait pas obtenu en temps voulu, puisqu'il avait saccagé ce qu'il avait reçu gratuitement et en abondance ? Il acceptait désormais sa mère telle qu'elle était, avait toujours été – une femme travailleuse et courageuse, certes, mais austère, dénuée de fantaisie et surtout de toute tendresse maternelle. Elle s'était adoucie, cependant, se montrait plus prévenante, mais cela venait trop tard, était insuffisant. Sitôt ses diplômes en poche il avait cherché un emploi le plus loin possible, d'elle, et de Paris. Il ne supportait plus cette ville depuis qu'elle avait perdu son feu follet qui déambulait dans les rues à la fois comme un veilleur, un réveilleur, un mage burlesque et magnifique. Après plusieurs déménagements dans des villes moyennes du Sud-Ouest, il avait fini par s'installer en Provence. Il n'a jamais proposé à sa mère de venir passer quelques jours chez lui, pas même un seul ; il la voyait épisodiquement, quand il lui fallait se rendre à Paris pour son travail, et leurs échanges, tant téléphoniques que par courrier postal ou électronique, étaient aussi plats qu'irréguliers. Ils avaient ainsi maintenu à flot et à distance leur relation pendant plus de vingt ans.

# III

« tu es : moi je suis ton passage
et tu viens : tu n'es pas. tu viens. »

Sorin Marculescu

# 14

## *À rebours*

Au Havre, Nathan ne s'était pas embarqué sur un cargo en partance pour l'Amérique ou le Canada, la Chine ou un pays d'outre-mer, il était rentré à Paris en train puis avait pris l'avion pour Bucarest, et de là pour Timişoara. Il avait sillonné la région du Banat, allant de village en village ; de la présence des anciens colons allemands, il n'avait guère trouvé de traces, de celle des communautés roms, de diverses et de vives, et il avait senti que la méfiance et l'animosité ancestrales à leur égard étaient toujours d'actualité, comme partout ailleurs, dont dans son propre pays. Mais il n'était qu'un passant, un pèlerin égaré venu tardivement visiter le pays d'un ami disparu sans savoir en quels lieux exactement celui-ci avait vécu dans son enfance et son adolescence. Peut-être, se disait-il souvent en traversant un village, est-ce ici qu'il est né, qu'il a joué dans ces rues, avec Perla et Babik et une nuée d'autres gamins. Peut-être est-ce ici le bourg où il a habité chez son grand-père Klaus, et là, alentour, les champs que le vieux cultivait. Ainsi avait-il déambulé de peut-être en peut-être, se demandant ce que deviennent les mânes des anciens habitants quand leurs corps n'ont pas reçu de sépulture, et les esprits des lieux quand les maisons qui étaient leur sanctuaire ont été démolies, reconstruites par et pour de nouveaux habitants dont la langue, la mémoire, les coutumes plongent leurs racines dans une tout autre nuit. Il était ensuite retourné à Bucarest, il avait longuement arpenté la ville en espérant marcher de temps à autre dans les pas de Gavril. Que deviennent les pas des piétons de jadis, leur écho se perd-il à jamais dans le brouhaha du temps ou se condense-t-il en fines poussières de sons aux vibrations imperceptibles sous les pavés des rues, dans l'asphalte des trottoirs ? Villages, campagne, routes et villes, tout lui était *mémento*, mais au contenu imprécis car bien trop vaste, non balisé.

De Bucarest il était allé à Jilava, situé à une douzaine de kilomètres au sud de la ville. Là, il s'agissait d'un lieu *stigmate*, où le Fort 13, initialement construit comme l'ensemble des dix-sept autres forts à la fin du XIX<sup>e</sup> siècle pour défendre la capitale contre d'éventuelles attaques des armées ottomanes, avait été converti en prison au début du siècle suivant, et quelques décennies plus tard transformé en enfer carcéral où l'on expédiait surtout des prisonniers politiques, catégorie très vague et flexible où le pouvoir entassait à l'envi des gens de tous milieux, de tous âges, de toutes « déviances » – dont la pire était celle d'oser penser, ou d'exister, tout simplement. De longs couloirs voûtés aux murs suintants, des cellules insalubres, des flaques boueuses sur le sol, des châlits sans matelas ni la moindre literie, des tinettes en tôle, des chaînes piquées de rouille accrochées aux murs, partout l'humidité, l'obscurité, la moisissure. Des croupissoirs.

Jilava doit son nom, qui signifie « humide », aux terrains marécageux qui l'entouraient autrefois. Jilava l'aqueuse, la visqueuse. De nombreux détenus étaient morts dans ces cachots, de maladie, de faim et d'épuisement, ou sous les coups des gardiens, lesquels étaient sélectionnés en fonction de leur haut degré de violence et de leurs aptitudes à la cruauté. Nathan s'était inscrit plusieurs jours à l'avance auprès d'un organisme pour pouvoir visiter le Fort 13. Il avait écouté les informations qu'un guide donnait en anglais au petit groupe venu comme lui découvrir l'ancienne prison désaffectée mais restée dans son jus, ou plutôt dans son suint, dans son pus. Parmi les prisonniers de renom passés par Jilava, le guide en avait cité quelques-uns, dont le philosophe Constantin Noica et les écrivains Dinu Pillat, Alexandru Paleologu, le prince et prêtre Vladimir Ghika, mort dans cette prison des suites des brutalités subies, le hiéromoine Mina Dobzeu et le converti Nicolae Steinhardt, qui avait profondément marqué Gavril.

Gavril Krantz, son nom à lui ne figurait pas dans la liste des personnalités, ne figurait sur aucune liste, pas même sur une tombe. Son nom s'évanouissait dans l'air du temps qui va comme s'effaçaient les phrases et les dessins griffonnés à la hâte par les anciens détenus, sur les murs rongés par le salpêtre. Son nom, parmi tant d'autres, tombé dans l'oubli. Tout en suivant avec attention les propos du guide, Nathan écoutait le vide qui tout alentour chuintait d'eau, de clapotements de boue, d'absence. Le bruissement de la mémoire en train de s'en aller, ne laissant dans son lent reflux que des traces labiles, des ombres blêmes. Il cherchait celle de Gavril fondue à des centaines, à des milliers d'autres, ou plutôt il s'efforçait de lui rendre un peu de clarté, de lisibilité. Dans les taches de rouille qui corrodaient les lourdes portes de fer des cellules, il voyait les yeux de Gavril. Dans les chuchotements de l'eau et des courants d'air, il entendait son souffle devenu oppressé avec l'âge. Dans la voix du guide, il reconnaissait la mélodie de son accent, et en marge de l'histoire du pénitencier que celui-là résumait, il repensait aux récits que faisait Gavril à brûle-pourpoint devant telle plaque commémorative, tel bâtiment, tel ouvrage perpétuant le souvenir d'un événement glorieux ou dramatique, ou d'un individu remarquable. Mais son rire, l'éclat de son regard, sa verve intarissable, ses déclamations de poèmes, son entrain dans leurs promenades à travers Paris, sa démarche d'échassier mi-lunaire mi-solaire et sa façon de jouer de ses instruments insolites, Nathan ne parvenait pas à en exhumer des vestiges dans ce bagne.

Pourtant, Jilava, comme avant Bucarest, et avant Bărăgan, antérieurement encore la maison du vieux Krantz, et au commencement sa communauté familiale, était un des lieux où s'était façonnée sa personnalité, configurées ses pensées, sa conception de la vie. C'était ici, entre les coups, la faim, les effrois et les humiliations qu'il avait approfondi son apprentissage commencé dans le Bărăgan, toujours aussi anarchique et reçu à la dérobée, de la littérature, de l'histoire, de langues étrangères et de divers autres sujets. Ici surtout qu'il avait pénétré au plus profond des labyrinthes pleins de pénombre, d'aspérités et de cloaques de l'esprit humain, mais également percés de trouées de lumière pouvant s'élargir à l'infini. Ici qu'il avait connu la puissance impondérable de la fraternité en contrepoids du pouvoir des tortionnaires, et celle de l'intelligence en veille, en lutte et résistance contre les assauts de l'imbécillité haineuse.

Nathan avait poursuivi son périple vers l'est, jusqu'à la plaine du Bărăgan, étendue plate et aride à perte de vue qui fut pendant des siècles le royaume de passage, ouvert à tous les vents dont le glacial *crivăț*, de multiples peuples cavaliers. Au mitan du siècle dernier, des sédentaires forcés ont pris la place des nomades éleveurs de chevaux ; on a parqué en masse des indésirables dans des camps de déportation, on les a séquestrés dans l'immensité et le nu de la steppe. Il avait continué jusqu'au delta du Danube, et de là était remonté jusqu'à la frontière ukrainienne, mais sans pouvoir se rendre sur la rive du fleuve Boug comme il l'aurait souhaité. Les fleuves, comme les hommes, les arbres et les bêtes, sont aussi accaparés, placés sous haute surveillance par les vainqueurs de chaque nouvelle guerre, aussi éphémère soit leur victoire. Mais puisque tous les fleuves se jettent dans la mer et que leurs eaux s'y mêlent, il était allé au bord de la mer Noire où se déverse le Boug, mer de couleur bleue aux déclinaisons de nuances multiples. La Seine, elle, était d'un noir opaque la nuit d'hiver où Gavril s'y était naufragé. Dans les fleuves, on finit souvent par retrouver les corps des noyés, il est plus rare que la mer les restitue.

Il était resté là, face à la mer, à contempler les jeux de la lumière et des couleurs glissant d'un bleu turquoise éclatant à des bleus teintés de mauve, de gris, de vert ou de violet selon l'heure, la saison. Il était resté là, face à la mer et au ciel, à observer le vol des oiseaux, la ruée des vents et des tempêtes, les montées de brouillards massifs aux tons de cendre et d'anthracite, jusqu'à l'arrivée des vents glaçants du Nord qui font geler l'eau en surface. Il avait passé l'hiver face à la splendide nudité de la mer devenue blanche et immobile, jusqu'à ce que se fende et craque et se disloque la blancheur formidable qui retenait la puissance de l'eau. Il était resté là, longtemps, à admirer cette mer qui avait tant émerveillé déjà des marins grecs plus de deux millénaires et demi auparavant. Lui n'était ni un marin ni un cavalier, juste un marcheur qui faisait halte, et apprenait à regarder. Qui réapprenait la beauté. Car il en avait perdu le goût, et même jusqu'au désir, non qu'il l'ait assise un soir sur ses genoux, qu'il l'ait soudain trouvée amère et qu'il l'ait injuriée, il n'avait pas eu cette fougue, cette témérité, il n'avait su que repousser passivement et tenir à distance celle qu'il avait reçue un jour comme une main posée sur son épaule, tant elle lui était devenue douloureuse. La beauté lui faisait mal. Il s'était enfui loin de lui-même, exilé dans un no-self-land. *Ô sorcières, ô misère, ô haine*, c'est à elles qu'il avait confié son trésor ; à la misère intérieure d'abord et durablement, à la haine pour finir, avec brutalité. Celle-ci avait fait sur lui *le bond sourd de la bête féroce*, elle l'avait étranglé, mordu, entravé, étouffé, inversant la dynamique libératrice de Rimbaud. Alors il avait rusé avec sa haine, à chaque assaut qu'elle lui livrait il avait répondu par l'envoi d'un bouquet à la personne qui en était la source pour tenter d'assécher cette dernière, de la tarir sous un amoncellement de fraîcheur, de délicatesse et de faste. Il inspectait des sites de livraison de fleurs et choisissait des bouquets en fonction de leur composition, de leur dominante de couleur et du nom qui leur était attribué. Vésuve, Allegro, Éole, Tango, Bossa-nova et Pavane, Foudre, Soprano, Valse blanche et Folie pourpre... C'était sa propre haine plus que la destinataire des envois qu'il giflait ainsi à coups de fleurs et de vocables épicés, et à force de claques magnifiques il avait fini par l'abattre. De ce combat floral, naïf et mené cependant à outrance, il était sorti épuisé mais vainqueur, et c'est l'esprit léger, presque en état d'ébriété de vide, de liberté, qu'il était parti découvrir le pays de Gavril et qu'il s'était là-bas réconcilié avec la beauté ; celle de la terre et des fleuves, des ciels et des forêts, de la mer et des vents, et celle des gens, quels qu'ils soient. La beauté. La mer, les vents et les flux de lumière. Et dans les antres de la mer, tant de corps engloutis, donnés en pâture aux poissons, aux courants, au silence des abysses. L'insolence placide de la beauté saturée de violence et de mort. Dans les antres de la mer, tant de visages effacés, tant de bouches béantes, de mains éparses, de chevelures algueuses et de sexes rongés, tant de chair dissoute.

Il avait appris la langue du pays, au début à l'oreille puis plus méthodiquement. Et il avait renoué avec une autre forme de beauté, l'une des plus éclatantes, celle de la jouissance charnelle, au cours de passades amoureuses avec des femmes rencontrées au hasard de ses marches dans les villes portuaires de la région de Dobrogée ; des jeunes et des mûres, des autochtones et quelques étrangères. Chacune avait suscité en lui de l'intérêt, parfois un sentiment d'affection, mais il ne s'était lié à aucune. La diversité des traits des visages, celle des corps, des teints et des grains de peau, de la texture des cheveux, et celle du volume des seins, de la forme des fesses, jusqu'à celle de la physionomie des sexes féminins ne cessait de l'étonner, de le réjouir. Il aimait découvrir les signes particuliers qui singularisaient discrètement les corps, comme les taches pigmentaires et les menues lésions, les grains de beauté, les cicatrices, la marque des nombrils en creux ou en saillie, en croissant de lune ou en petit soleil, la taille et la couleur des aréoles et des mamelons, la pilosité pubienne conservée en large losange ou réduite à une bande mince, ou encore à rien ; et chez certaines, les tatouages, les piercings. Il n'avait pas porté autrefois une telle attention aux corps des femmes avec lesquelles il avait entretenu des relations, il découvrait ce qu'il avait cru connaître et avait en fait négligé. Il apprenait à lire les corps comme il l'avait fait avec les rues de Paris dans sa jeunesse en compagnie de Gavril. Marcher, disait celui-ci, c'est lire avec toute sa personne physique, tous ses sens, et lire c'est marcher. À présent pour Nathan, dénuder une femme, la regarder, la caresser, la pénétrer était aussi une forme de lecture. Tous les corps sont écrits, par les ressemblances familiales héritées, par les accidents petits et grands qui surviennent au fil du temps, par les ajouts ou les soustractions qu'on leur impose, mais aussi, en filigrane, par les pensées qui s'y concoctent, par les rêves qui s'y trament, par les émotions qui les habitent et les désirs qui les hantent. Et l'union sexuelle est une expérience de lecture autant que d'écriture, du corps de l'autre et du sien propre, que la jouissance porte à un point d'incandescence aussi éblouissant que convulsif, intenable. Il aimait poser sa tête, après l'amour, sur le ventre des femmes, là où mugit le chant confus de la chair, où bat le sourd et lancinant fredon du sang, des entrailles, de la vie. La peau tendre du ventre, délicate, parfois moelleuse, si voluptueuse à caresser, et dessous les viscères, magma de matières visqueuses, spongieuses, de boue fécale et d'aquosités. L'endroit et l'envers, l'exhibé et l'enfoui, le séduisant et le nauséabond, indissociables.

Il avait aussi renoué avec la poésie, relisant celles apprises autrefois auprès de Gavril, en cherchant de nouvelles, et il avait exercé sa mémoire à retenir un grand nombre de poèmes et de proses brèves. Parmi les poètes qu'il avait découverts, il y avait des compatriotes de Gavril, comme lui émigrés en France, comme lui suicidés dans la Seine, Paul Celan, Ghérasim Luca. Gavril certainement connaissait leurs écrits, mais avait-il rencontré ces hommes, avait-il eu des relations d'amitié avec eux ? Nathan avait deviné l'influence que Ghérasim Luca avait dû avoir sur lui,

Luca le bégayant volubile tout habillé de noir qui donnait des récitals de ses poèmes aux mots heurtés, les faisant ricocher comme des cailloux noirs arrachés à son corps sur une eau lisse, glacée, où ils propageaient des ondes à leur tour se brisant pour donner naissance à d'autres mots en un jeu haletant de sons, d'onomatopées, d'échos distordus et de parentés furtives. Un jeu à la fois plein d'insolence, de gravité et d'humour. Gavril n'écrivait pas de poèmes, il récitait ceux des autres, il les bruitait, il les sonorisait, les martelait, les bredouillait ou les soupirait. À l'instar de Luca, il incorporait les mots, les roulait dans sa bouche, les touillait dans sa chair et son souffle jusqu'à ce qu'ils forment des concrétions, des bézoards langagiers qu'il expectorait ensuite sur un rythme tantôt syncopé, tantôt fluide et doux.

En guise d'adieu, Ghérasim Luca avait écrit qu'il s'en allait *puisqu'il n'y a plus de place pour les poètes dans ce monde*. Mais il en a toujours été ainsi, du moins depuis des siècles. La place des poètes est depuis si longtemps marginale, minuscule, négligée. De temps à autre on les fête, parfois on les déclare «princes», on les écoute d'une oreille fugacement attentive sans s'arrêter au bord des gouffres qu'ouvrent leurs mots, surtout sans s'y pencher, et vite on neutralise tout ce qui dans leur ardeur ou leur plainte, dans leur terrible acuité, dans leur irrévérence et leur candide violence pourrait nous bouleverser, nous dénuder. On leur demande juste de plaire. Ghérasim Luca n'avait rien de plaisant, sa poésie grinçait, trébuchait, hoquetait. Elle se moquait.

*Le vide vidé de son vide c'est le plein le vide rempli de son vide c'est le vide le vide rempli de son plein c'est le vide (...) le plein vide vidé de son plein vide de son vide vide rempli et vidé de son vide vide vidé de son plein en plein vide...*

# 15

*En spirale*

Peu de temps après son retour à Paris il a appelé l'hôpital où travaille Hawa. La standardiste lui a répondu que le nom de Gwezhennec-Yazarov ne figurait pas sur sa liste du personnel, il a demandé à parler à sa remplaçante. Celle-ci lui a annoncé que Mme Gwezhennec-Yazarov avait quitté son poste plus d'un an auparavant, mais elle a refusé de lui communiquer la moindre information la concernant, par respect de la confidentialité. Il n'avait aucune autre piste pour tenter de la joindre, il n'a pas trouvé son nom dans l'annuaire. Il espérait au moins que le récit qu'il avait envoyé lui était parvenu. Qui sait, du reste, si ce récit ne l'avait pas incitée à quitter son travail pour se lancer dans une autre activité, ou pour partir exercer ailleurs son métier, et même carrément changer de profession.

Il a repris ses balades dans la ville, non plus vêtu d'un costume de Pierrot-Pulcinella, juste d'un jean noir flanqué de larges poches, et d'un tee-shirt à manches longues qu'il roule jusqu'aux coudes ; tantôt un noir, tantôt un jaune vif, un blanc, un bleu ardoise ou un vert absinthe. Il a troqué son masque au long bec contre de simples loups de divers coloris qu'il a confectionnés dans des morceaux de toile cirée, et il a ajouté à sa panoplie vestimentaire un borsalino noir. Il s'est aussi fabriqué un nouvel instrument à mots et à sons confus, qu'il porte en bandoulière à son épaule. Pour le nommer, il utilise un terme inventé par Ghérasim Luca. *La poésie est un silensophone, le poème, un lieu d'opération, le mot y est soumis à une série de mutations sonores, chacune de ses facettes libère la multiplicité des sens dont elles sont chargées. Je parcours aujourd'hui une étendue où le vacarme et le silence s'entrechoquent – centre choc –, où le poème prend la forme de l'onde qui l'a mis en marche.* Il en joue aux oreilles des passants, parfois à celles d'un balayeur, d'un marmiton, d'une vendeuse ou d'un serveur sortis sur le trottoir fumer une cigarette ; son apparition les amuse, ou pas. Il aimerait apercevoir un jour Hawa assise à la terrasse d'une brasserie ou sous un abribus, ou bien marchant dans la rue ; il y a tant de poèmes dont il pourrait lui chuchoter des vers. Par exemple ceux-ci, d'Ana Blandiana :

*On entend*
*venir du futur*
*les voix des poètes morts*

*et même si*
*personne n'espère*
*comprendre ce qu'ils disent*
*nous les entendons tous*
*et sentons suppurer en nous*
*(comme la résine dans le tronc*
*des arbres blessés)*
*l'espoir oublié.*

Il entre aussi dans les squares, parfois s'aventure dans le hall d'une gare. Là encore, tout le monde n'apprécie pas pareillement son petit happening, il y a ceux que ça ravit, ceux que ça fait rire, ceux que ça fait râler, et les blasés qui posent sur lui un regard condescendant en haussant légèrement les épaules. Il ne demande jamais d'argent ; si quelqu'un lui glisse une pièce dans la main, il remercie, mais il s'empresse de la donner à une personne qui fait la manche. Parfois il se contente de jouer de son silensophone à des flaques de soleil frémissant sur l'asphalte, aux racines des arbres encerclées de grilles, à des bancs de bois déserts, à l'eau coulant le long des caniveaux, ou simplement au vent, à rien. Il lui arrive aussi d'en jouer dans les écoles où il se rend régulièrement dans le cadre d'activités récréatives et de loisirs auprès de jeunes élèves, il s'adapte aux besoins, aux carences et aux attentes des enfants qu'il rencontre. Là où le langage est en manque, en souffrance, il essaie d'ouvrir des brèches pour laisser aller et venir les mots, les faire respirer, bruire et remuer dans l'imagination, résonner dans la pensée. Les faire apprivoiser, et aimer. Il a dorénavant tout son temps pour rattraper celui qu'il a perdu, du moins pour user autrement du présent, pour en jouir en prodigue.

Une fin d'après-midi de septembre, alors qu'il remonte une avenue bordée de platanes, Nathan repère une femme dans la foule clairsemée des passants. Sa silhouette, précédée de son ombre, se détache à contre-jour sur la lumière orangée du crépuscule. Il la reconnaît à sa démarche, lente, légère et mesurée. Il s'arrête, l'observe, puis avant qu'elle ne soit trop proche, il se dissimule à moitié derrière le tronc d'un arbre. Elle avance de son pas régulier, le buste droit, un bras replié vers l'épaule où est passée la sangle de son sac à main, l'autre ballant le long du corps. Elle a toujours marché ainsi, à cadence pondérée, une main accrochée à la courroie de son sac. Elle est menue, davantage que dans son souvenir. Il ne distingue pas encore les traits de son visage, estompés dans le contre-jour, juste ses cheveux qui dessinent une drôle d'auréole frisottée, blond argenté, autour de sa tête. Elle parvient à sa hauteur. Il la regarde passer sans qu'elle le remarque. C'est bien elle en effet, un peu vieillie, toujours soignée dans sa mise, son allure. Il fouille dans une des poches de son pantalon, en extirpe un loup au hasard ; c'est le bleu paon. Il l'ajuste sur ses yeux et rabat son chapeau sur son front, puis il se faufile à sa suite. Il s'approche tout près d'elle, par-derrière, et souffle dans son silensophone. Elle sursaute, se retourne, mais il tient son visage, déjà doublement dissimulé, penché sur l'instrument. Tout en chaloupant autour d'elle, il module des vers de Jules Supervielle qu'il scande de cris d'oiseaux, d'onomatopées et de stridulations douces. « Ssshhh... *Ne tourne pas la tête, un miracle est derrière*... hui hui piii... *Qui guette et te voudrait de lui-même altéré*... pi ouit pi ouit... *Cette douceur pourrait outrepasser la Terre*... ohouooho... *Mais préfère être là, comme un rêve en arrêt*... tchic tchic tzé tuit... »

La femme s'est arrêtée, elle l'écoute avec plaisir

maintenant, elle sourit, amusée. Mais soudain il change de registre, finis les trilles et les chuchotements, il se met à débiter un poème de Luca, d'abord à voix basse, *la manière de la manière de ma de maman la manière de maman de s'asseoir sa manie de s'asseoir sans moi…*, puis de plus en plus forte et saccadée, *sa manière de soie sa manière de oie oie oie oie le soir de s'asseoir le soir sans moi la manie de la manière…* La femme se fige, ne sourit plus, elle se tourne vers l'homme masqué qui trépigne sur place et braille à son oreille. Elle flanque un coup dans l'instrument du plat de la main, et s'écrie : « Nathan ! » Aussitôt il s'enfuit, il remonte l'avenue qu'elle vient de descendre, il court face au soleil couchant, son chapeau tombe, roule sur le sol, *oie oie oie le soir*, son loup prend des reflets violâtres dans la lumière rouille qui filtre des feuillages, *la soie en soi oui ! oui et non !* Il tient son silensophone au bout de son bras comme un perchiste en plein élan avant d'accomplir son saut, *à la manière de à la manière d'une oie en soie*, la femme s'élance à sa poursuite, tout en courant elle plonge une main dans son sac qui soubresaute contre sa hanche, elle en extrait une poignée de petits rectangles de papier colorés qu'elle jette vers le fugitif, ils retombent en pluie sur sa tête, ses épaules. Il y a si longtemps qu'elle transporte ces écorces de l'interpellation muette qui lui avait été adressée, et qui n'en finissait pas de l'apostropher sans qu'elle puisse y répondre.

Il transpire sous son masque qui colle à sa peau, *ô ma chaloupe de soie ! ô ! oui ! s'asseoir non !* Il voit virevolter devant ses yeux des images de fleurs, de bouquets, de feuillages. Tango Vésuve Éole Allegro Foudre Soprano Folie pourpre... Il est pris de vertige, il pile et reste un instant dans une position saugrenue, légèrement penché en avant, appuyé sur son silensophone qui fait office de canne, un genou relevé, le pied en l'air. Sa respiration est sifflante. Il sent une main se poser sur son dos. La femme est derrière lui, elle dit :

– Nathan... Ce n'est pas moi qui...

Elle est aussi essoufflée que lui, elle prononce les mots en ahanant. « Nat-*h*an... » Le *h* se fait sonore, presque rugueux. Elle répète la fin de sa phrase inachevée, toujours en haletant :

– Pas moi qui...

Il se rétablit sur ses deux jambes, se redresse et ôte son loup, mais il ne se retourne pas. Elda reprend son souffle et achève sa phrase avec effort :

– Ce n'est pas moi qui t'ai menti. J'ignorais, vraiment j'ignorais pour ton ami, et je n'ai rien compris.

Alors, pivotant vers elle, il répond avec un sourire ironique :

– Mais tu n'as jamais rien compris, toi. Que dalle ! Et moi non plus, d'ailleurs. Rien compris à nous-mêmes, rien l'un de l'autre, ni des autres... Rien de rien. Mais j'apprends. J'apprends enfin.

– Et moi je commence juste, dit-elle en s'asseyant sur le trottoir au milieu des photos dispersées comme s'il s'agissait d'un tapis de feuilles mortes.

# DU MÊME AUTEUR

*Aux Éditions Albin Michel*

CÉLÉBRATION DE LA PATERNITÉ (iconographie établie par E. Gondinet-Wallstein), 2001.

MAGNUS, prix Goncourt des lycéens 2005.

L'INAPERÇU, 2008.

HORS CHAMP, 2009.

LE MONDE SANS VOUS, prix Jean-Monnet de littérature européenne 2011.

RENDEZ-VOUS NOMADE, 2012.

PETITES SCÈNES CAPITALES, 2013.

À LA TABLE DES HOMMES, 2015.

L'ESPRIT DE MARSEILLE (photos de T. Kluba), 2018.

*Aux Éditions Gallimard*

LE LIVRE DES NUITS, 1984.

NUIT D'AMBRE, 1986.

JOURS DE COLÈRE, prix Femina 1989.

LA PLEURANTE DES RUES DE PRAGUE, 1991.

L'ENFANT MÉDUSE, 1992.

IMMENSITÉS, prix Louis-Guilloux et prix de la Ville de Nantes 1993.

ÉCLATS DE SEL, 1996.

CÉPHALOPHORES, 1997.

TOBIE DES MARAIS, Grand Prix Jean-Giono 1998.

CHANSON DES MAL-AIMANTS, 2002.

LES PERSONNAGES, 2004.

*Aux Éditions Gallimard Jeunesse*

L'ENCRE DU POULPE, 1999.

*Chez d'autres éditeurs*

OPÉRA MUET, Maren Sell, 1989.

LES ÉCHOS DU SILENCE, Desclée de Brouwer, 1996.

BOHUSLAV REYNEK À PETRKOV (photos de T. Kluba), Christian Pirot, 1998.

ETTY HILLESUM, Pygmalion, 1999.

GRANDE NUIT DE TOUSSAINT (photos de J.-M. Fauquet), Le temps qu'il fait, 2000.

PATIENCE ET SONGE DE LUMIÈRE : VERMEER, Flohic, 2000.

MOURIR UN PEU, Desclée de Brouwer, 2000.

CRACOVIE À VOL D'OISEAUX, Le Rocher, 2000.

COULEURS DE L'INVISIBLE (calligraphies de Rachid Koraïchi), Al Manar, 2002.

SONGES DU TEMPS, Desclée de Brouwer, 2003.

ATELIERS DE LUMIÈRE, Desclée de Brouwer, 2004.

PATINIR. PAYSAGE AVEC SAINT CHRISTOPHE, Invenit, 2010.

QUATRE ACTES DE PRÉSENCE, Desclée de Brouwer, 2011.

CHEMIN DE CROIX (photos de T. Kluba), Bayard, 2011.

OCTONAIRE (photos de T. Kluba), Alliance française, Bari, 2011.

*Composition IGS-CP*
*Impression CPI Brodard & Taupin en avril 2019*
*Éditions Albin Michel*
*22, rue Huyghens, 75014 Paris*
*www.albin-michel.fr*
*ISBN : 978-2-226-44234-5*
*ISSN : 978-2-226-18508-2*
*N° d'édition : 23502/01 – N° d'impression : 3033533*
*Dépôt légal : mai 2019*
**Imprimé en France**